孔子学院总部/国家汉办
Confucius Institute Headquarters(Hanban)

标准教程
STANDARD COURSE

HSK

主编： 姜丽萍
LEAD AUTHOR: Jiang Liping

编者： 鲁江、刘畅
AUTHORS: Lu Jiang, Liu Chang

5下

北京语言大学出版社
BEIJING LANGUAGE AND CULTURE
UNIVERSITY PRESS

序

　　2009年全新改版后的HSK考试，由过去以考核汉语知识水平为主，转为重点评价汉语学习者运用汉语进行交际的能力，不仅在考试理念上有了重大突破，而且很好地适应了各国汉语教学的实际，因此受到了普遍欢迎，其评价结果被广泛应用于汉语能力的认定和作为升学、就业的重要依据。

　　为进一步提升孔子学院汉语教学的水平和品牌，有必要建立一套循序渐进、简便易学、实用高效的汉语教材体系和课程体系。此次经国家汉办授权，由汉考国际（CTI）和北京语言大学出版社联合开发的《HSK标准教程》，将HSK真题作为基本素材，以自然幽默的风格、亲切熟悉的话题、科学严谨的课程设计，实现了与HSK考试内容、形式及等级水平的全方位对接，是一套充分体现考教结合、以考促学、以考促教理念的适用教材。很高兴把《HSK标准教程》推荐给各国孔子学院，相信也会对其他汉语教学机构和广大汉语学习者有所裨益。

　　感谢编写组同仁们勇于开拓的工作！

许　琳

孔子学院总部　总干事

中国国家汉办　主　任

前言

自2009年国家汉办推出了新汉语水平考试（HSK）以来，HSK考生急剧增多。至2013年年底，全球新HSK实考人数突破80万人。随着汉语国际教育学科的不断壮大、海外孔子学院的不断增加，可以预计未来参加HSK考试的人员会越来越多。面对这样一个庞大的群体，如何引导他们有效地学习汉语，使他们在学习的过程中既能全方位地提高汉语综合运用能力，又能在HSK考试中取得理想成绩，一直是我们思考和研究的问题。编写一套以HSK大纲为纲，体现"考教结合""以考促教""以考促学"特点的新型汉语系列教材应当可以满足这一需求。在国家汉办考试处和北京语言大学出版社的指导下，我们结合多年的双语教学经验和对汉语水平考试的研究心得，研发了这套考教结合的新型系列教材《HSK标准教程》系列（以下简称"教程"）。

一、编写理念

进入21世纪，第二语言教学的理念已经进入后方法时代，以人为本，强调小组学习、合作学习，交际法、任务型语言教学、主题式教学成为教学的主流，培养学习者的语言综合运用能力成为教学的总目标。在这样一些理念的指导下，"教程"在编写过程中体现了以下特点：

1. 以学生为中心，注重培养学生的听说读写综合运用能力

"考教结合"的前提是为学生的考试服务，但是仅仅为了考试，就会走到应试的路子上去，这不是我们编教的初衷。如何在为考试服务的前提下重点提高学生的语言能力，是我们一直在探索的问题，也是本套教材的特色之一。以HSK一、二级为例，这两级的考试只涉及听力和阅读，不涉及说和写，但是在教材中我们从一级开始就进行有针对性的语音和汉字的学习和练习，并且吸收听说法和认知法的长处，课文以"情景＋对话＋图片"为主，训练学生的听说技能。练习册重点训练学生的听力、阅读和书写的技能，综合起来培养学生的听说读写能力。

2. 融入交际法和任务型语言教学的核心理念

交际法强调语言表达的得体性和语境的作用，任务型语言教学强调语言的真实性和在完成一系列任务的过程中学习语言，两种教学法都强调语言的真实和情境的设置，以及在交际过程中培养学生的语言能力。HSK考试不是以哪一本教材为依据进行的成绩测试，而是依据汉语水平考试大纲而制定的，是考查学习者语言能力的能力测试。基于这样的认识，"教程"编写就不能像以往教材那样，以语言点为核心进行举一反三式的重复和训练，这样就不能应对考试涉及的方方面面的内容，因此我们在保证词语和语法点不超纲的前提下，采取变换情境的方式，让学习者体会在不同情境下语言的真实运用，在模拟和真实体验中学习汉语。

3．体现了主题式教学的理念

主题式教学是以内容为载体、以文本的内涵为主体所进行的一种语言教学活动，它强调内容的多样性和丰富性，一般来说，一个主题确定后，通过接触和这个主题相关的多个方面的学习内容，加速学生对新内容的内化和理解，进而深入探究，培养学生的创造能力。"教程"为了联系学生的实际，开阔学生的视野，从四级分册开始以主题引领，每个主题下又分为若干小主题，主题之间相互联系形成有机的知识网络，使之牢固地镶嵌在学生的记忆深处，不易遗忘。

二、"教程"的特色

1．以汉语水平考试大纲为依据，逐级编写"教程"

汉语水平考试（HSK）共分六个等级，"教程"编教人员仔细研读了"大纲"和出题指南，并对大量真题进行了统计、分析。根据真题统计结果归纳出每册的重点、难点、语言点、话题、功能、场景等，在遵循HSK大纲词汇要求的前提下，系统设计了各级别的范围、课时等，具体安排如下：

教材分册	教学目标	词汇量（词）	教学时数（学时）
教程1	HSK（一级）	150	30–45
教程2	HSK（二级）	300	30–45
教程3	HSK（三级）	600	60–80
教程4（上/下）	HSK（四级）	1200	80–120
教程5（上/下）	HSK（五级）	2500	160–240
教程6（上/下）	HSK（六级）	5000 及以上	240–320
总计：9册		5000 以上	600–850

这种设计遵循汉语国际教育的理念，注重教材的普适性、应用性和实用性，海内外教学机构可根据学时建议来设计每册书完成的时限。比如，一级的"教程1"规定用34学时完成，如果是来华生，周课时是8课时的话，一个月左右就能学完；在海外如果一周是4课时的话，学完就需要两个月的时间。以此类推。一般来说，学完"教程1"就能通过一级考试，同样学完"教程2"就能通过二级考试，等等。

2．每册教材配有练习册，其练习形式与HSK题型吻合

为了使学习者适应HSK的考试题型，教材的各级练习册设计的练习题型均与该级别的HSK考试题型吻合，从练习的顺序到练习的结构等都与考题试卷保持一致，练习的内容以本课的内容为主，目的是使学习者学完教材就能适应HSK考试，不需额外熟悉考试形式。

3．单独设置交际练习，紧密结合HSK口试内容

在HSK考试中，口试独立于笔试之外。为了培养学生的口语表达能力，在"教程"中，每一课都提供交际练习，包括双人活动和小组活动等，为学习者参加各级口试提供保障。

本套"教程"在策划和研发过程中得到了孔子学院总部/国家汉办、北京语言大学出版社和汉考国际（CTI）的大力支持和指导，是全体编者与出版社总编、编辑和汉办考试处、汉考国际命题研发人员集体智慧的结晶。本人代表编写组对以上机构和各位参与者表示衷心的感谢！我们希望使用本教程的师生，能够毫无保留地把使用的意见和建议反馈给我们，以便进一步完善，使其成为教师好教、学生好学、教学好用的好教程。

姜丽萍

本册说明

《HSK标准教程5》适合学习超过200学时，大致掌握新HSK一至四级大纲所包含的1200个词语，准备参加HSK（五级）考试的汉语学习者使用。

一、全书分为上、下册，共36课，12个单元，教材涵盖HSK（五级）大纲中包含的1300个新增词语和部分超纲词（教材中用"*"标注）。每课建议授课时间为4~6学时。

二、本教材基本继承了《HSK标准教程》前四级的编写思路和体例，在难度、深度和广度上加以延伸，同时根据HSK（五级）考试特点进行了相应设计调整。

三、教程每课均分为六大板块：热身、课文（含"生词"）、注释（含"词语例释""词语搭配"及"词语辨析"）、练习、扩展、运用。

1.**热身**。热身环节旨在调动学习者的学习热情和兴趣，为新课的教学做好引入和铺垫。每课热身由两部分构成，形式从以下四种中选择两种：A.使用综合性图片导入本课部分生词；B.回顾与本课部分生词相关的已学同类生词；C.使用图片导入本课提到的著名人物或事件等；D.进行与本课内容相关的小讨论或小调查。热身的设计都遵循相关性、综合性、趣味性、可操作性的原则，教师可要求学习者提前预习，或在正课开始前花少量时间引导学习者进行预热。

2.**课文**。所有课文话题均根据HSK（五级）真题语料统计确定。每单元有一个共同主题，每个主题包括三课，分别涉及这一主题的三个不同侧面。主题的分配充分考虑其在真题中所占的比例，占比例较大者，如人生哲理、社会问题等，在上下两册中分别安排一个或多个单元，但在体裁、篇幅、难度上加以区别；占比例较小者，如历史地理、艺术体育等话题，则将相关内容综合为一个单元，并仅在一册中出现。

HSK（五级）真题语料70%以上都是语段、语篇。根据这一特点，本级教程每课选取了一篇真实语料，改编为适合教学的短文作为课文。上册每篇课文560~670字，下册每篇课文560~800字，课文以叙述、议论为主，兼及描写、说明，便于学习者掌握多种风格的文体。

3.**注释**。与HSK词汇考查"以词本位为主，兼顾字本位"的特点相适应，与前四级相比，本教程的注释部分更偏重于词汇的教学。每课的注释包括三个部分，分别是"词语例释""词语搭配"和"词语辨析"。其中"词语例释"选取2~4个重点虚词、结构或多义项、多用法的实词进行讲解，并分别提供3个以上来自于课文、真题或其他语料的例句，从易到难排列；每个语言点后配有3个即时操练题。"词语搭配"分类列举本课重点词语与其他词语的搭配关系。"词语辨析"比较一对易混淆词语的异同，并配有4个即时操练题。

4.**练习**。练习在每课注释之后，综合操练本课新学的重点词语和课文。练习采用比较直观的方式，包括选词填空、选择正确答案、给括号里的词选择适当的位置、搭配连线、根据提示词复述课文内容等。这个环节教师可以灵活安排，既可在注释讲练之后进行，也可在本课小结时用来检测学习者的学习情况，部分还可留作课后作业，主要目的是巩固和检查学习者对当课主要内容和重点词语的掌握程度。

5.**扩展**。扩展环节以意义类聚为标准，从五级新增1300词中选取了部分词语，分类汇总。每课扩展板块列举其中1~2类，含7~15个词语。词语的分类在考虑词义关联度的同时，兼顾义类与本课课文或生词的联系。每课配4个练习题，旨在帮助学习者集中、全面地了解一些词语的意义，这有助于学习者运用某类词汇进行相关话题的表达，同时也保证了教程中五级词汇的全面覆盖。

6.**运用**。运用环节主要针对HSK（五级）的标准和测试题型，重点训练学习者成段表达的能力，每课提供一个与本课主题或内容相关的讨论/写作话题，学习者可以先通过背景分析了解相关知识、文化常识等，然后根据具体要求，进行讨论或写作。

以上是对本级教程使用方法的一些说明和建议，教师可以根据实际情况灵活使用。希望本教程科学严谨、有针对性的设计可以帮助学习者顺利、轻松、高效地达成目标，实现从中级汉语到高级汉语跨越式提升，有效地提高汉语水平与应试能力。

本教材中的部分选文来源于报纸、网络等多种媒体，由于时间、地域、联系渠道等多方面的限制，部分选文使用前未能与所有权人一一取得联系，同时因教学需要，我们对作品进行了必要的修改、调整。对此，我们深表歉意，并衷心希望得到权利人的理解和支持。另外，有些作品由于无法了解作者信息而未署作者的姓名，也恳请权利人谅解。

编者

目录 Contents

词语例释	词语辨析	扩展
般；闻；趁	怀念—想念	饮食2
动词+得/不+起；支；凭	记录—纪录	单位、场所；生产2
硬；偶然；尽快	偶然—偶尔	学科；软件操作
一旦；难免；自从	平等—公平	写作表达
一致；某；幸亏	单独—独自	教学1；学术
行动；义务	发言—发表	教学2
朝；简直	严肃—严格	度量单位；学习用具
来；至于；总算	总算—终于	社会关系；婚恋
动词+下来；舍不得	损失—失去	家居2
从此；假设；堆	反应—反映	职业；求职
不如；干脆；万一	挤—拥挤	经济1
无意；有利；的确	接近—靠近	经济2

词语例释	词语辨析	扩展
嗯；轻易	轻易—容易	行为1
密切；尽量；逐步	鼓励—鼓舞	资源
照常；难怪；与其	表现—体现	交通
总之；动词+过；动词+开	反复—重复	地理环境
赶快；片；根本	特殊—特别	动物；植物
除非；直；反正	应付—处理	行为2

交流文化
Cultural exchange

19 家乡的萝卜饼
Turnip pancakes in my hometown

下面的图片分别表示三种做菜的方法，请从本课的生词表中找出对应的说法，然后给它们排个顺序，并说说你为什么这么排序。

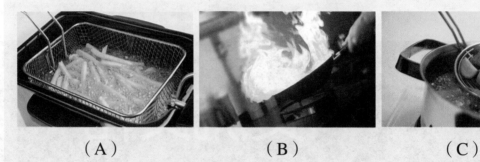

（A） （B） （C）

2 请从本课的生词表中找出与饮食有关的词语，填在下表中，并说说它们的意思。

词性	例词	生词		
名词	口味			
形容词	可口			

课文
Text

家乡的萝卜饼 （547字） 🖸 19-1

　　家乡的众多美食中，萝卜饼是最让我怀念的。它那丰富的色彩、微甜的口感，至今仍让我十分想念。

　　家乡的萝卜有青、红、紫三种。三种萝卜看起来赏心悦目，吃起来，青的甜中带点儿辣，红的辣中带着

生词 🖸 19-2

1. 家乡　jiāxiāng
   n. hometown, native place
*2. 萝卜　luóbo　n. turnip, radish
3. 怀念　huáiniàn
   v. to miss, to feel nostalgic
4. 色彩　sècǎi　n. color
5. 想念　xiǎngniàn
   v. to recall with longing, to miss
6. 青　qīng　adj. greenish blue
7. 紫　zǐ　adj. purple
*8. 赏心悦目　shǎngxīn-yuèmù
   pleasing to both the eye and
   the mind

甜，紫的像山泉般清淡可口。父老乡亲们夸它说："橘子、葡萄、梨，比不上咱的萝卜皮。"而萝卜饼就是用这三种颜色的萝卜做成的。

萝卜饼的做法极其简单，既不必炒或煮，也不用油炸。先把三色萝卜洗净切丝，放入油、盐等，用筷子搅拌均匀，萝卜饼的原料便做成了。最关键的功夫是擀面。高手往往把面擀得薄如白纸，拌好的萝卜丝儿铺到饼上后，得再折叠两三次，要求饼熟之后表皮是透明的，能透过表皮看见萝卜丝儿。最后用刀切成块状，饼便做好了。

接下来，拿一个平底锅，先在锅里淋一圈油，待油锅烫手时，将切好的萝卜饼一块一块地放进锅里。盖锅前须放进一些温水，预防糊底。火最好用文火，等能闻到香味时，便可开锅了。萝卜饼要趁热吃，喜欢口味

* 9.	般	bān	part. sort, kind
10.	清淡	qīngdàn	
		adj. lightly flavored and not greasy	
* 11.	可口	kěkǒu	adj. tasty, delicious
12.	夸	kuā	v. to praise
13.	橘子	júzi	n. tangerine
14.	梨	lí	n. pear
15.	炒	chǎo	v. to stir-fry
16.	煮	zhǔ	v. to boil, to stew
17.	油炸	yóuzhá	v. to deep-fry
18.	切	qiē	v. to cut, to chop, to slice
* 19.	丝	sī	n. shred, anything threadlike
* 20.	搅拌	jiǎobàn	v. to stir, to mix
21.	均匀	jūnyún	
		adj. even, well-distributed	
22.	原料	yuánliào	n. raw material
* 23.	擀	gǎn	
		v. to roll (dough etc. with a rolling pin)	
24.	薄	báo	adj. thin
* 25.	折叠	zhédié	v. to fold
26.	透明	tòumíng	adj. transparent
* 27.	淋	lín	v. to spatter, to sprinkle
28.	圈	quān	n. circle, ring
29.	烫	tàng	
		v./adj. to scald, to burn; very hot, scalding	
30.	盖	gài	v./n. to cover; lid, cover
31.	预防	yùfáng	
		v. to guard against, to prevent	
* 32.	糊	hú	v. to be burnt
* 33.	文火	wénhuǒ	
		n. slow fire, gentle heat	
34.	闻	wén	v. to smell
35.	趁	chèn	
		prep. to take advantage of, (to do…) at the time when	
36.	口味	kǒuwèi	n. taste, flavor

重的，还可以加少许酱油和醋。刚出锅的萝卜饼，香味扑鼻，外焦里嫩，吃上一口，便让人永远忘不了。

如今，美食家们对吃提出了更高的要求。他们不仅要观色、闻香、尝味、赏形，而且还要求食物具有养生方面的特色。我想，家乡的萝卜饼完全具备这几个方面的条件，人们不是常说吗——"鱼生火，肉生痰，青菜萝卜保平安"，养生的功能，让我更加喜爱它了。

*37.	少许	shǎoxǔ	adj. a little, some
38.	酱油	jiàngyóu	n. soy sauce
39.	醋	cù	n. vinegar
*40.	焦	jiāo	adj. burnt, scorched
41.	嫩	nèn	adj. soft, tender
42.	特色	tèsè	n. characteristic, distinctive feature
*43.	痰	tán	n. phlegm, sputum
44.	平安	píng'ān	adj. safe, well

改编自《中国电视报》，作者：李星涛

注释（一）词语例释
Notes 1 一般

"般"，助词，意思是"一样""似的"，常用在名词后，构成短语做定语或状语。例如：

（1）……紫的像山泉般清淡可口。

（2）说起那段往事，她的脸上露出了阳光般的笑容。

（3）望着爸爸远去的背影，我的眼泪雨点般不停地往下掉。

● **练一练**：用所学词语改写句子

（1）他在下半场的进球，为球队赢得了一场像金子一样宝贵的胜利。

他在下半场的进球，＿＿＿＿＿＿＿＿＿＿＿＿＿＿＿＿＿。

（2）书法大赛开办以来，全国各地的参赛作品雪片似的飞来。

书法大赛开办以来，＿＿＿＿＿＿＿＿＿＿＿＿＿＿＿＿＿。

（3）这时，从远处传来了孩子们一阵阵仿佛银铃一样清脆的笑声。

这时，从远处＿＿＿＿＿＿＿＿＿＿＿＿＿＿＿＿＿＿＿。

2 闻

"闻"做语素时，意思是"听见，听见的事情、消息"。例如：

（1）你们到各地去旅游，一定会增加对中国的了解，老话说：百闻不如一见。

（2）邻居们闻声赶来，纷纷跳入水中救起了落水的小海。

（3）时隔多年再来这里，所到之处、所见所闻，无不给人一种新鲜感。

（4）假期里，他常带孩子们到世界各地旅行，增长他们的见闻。

"闻"用作动词时，表示用鼻子感知味道。例如：

（5）火最好用文火，等能闻到香味时，便可开锅了。

（6）他把壶盖儿打开，闻了闻，原来是酒。

● 练一练：判断各句中的"闻"是哪种意思

（1）一进村口，我们就闻到了清风送来的浓浓的玫瑰花香。

（2）说起她到上海留学的事，还真有一段奇闻趣事呢。

（3）对人们的种种批评，她采取了听而不闻的态度。

3 趁

"趁"，介词，意思是"利用（时间、机会）"，后面可跟名词、动词短语、形容词和小句。例如：

（1）趁着这几天休息，我们去看看房子吧。

（2）趁电影还没开始，我去买两瓶矿泉水。

（3）萝卜饼要趁热吃，喜欢口味重的，还可以加少许酱油和醋。

● 练一练：完成句子或对话

（1）李老师退休了，她想_____。　　（趁）

（2）天阴了，_____。　　（趁）

（3）A：工作这么稳定，你又干得不错，怎么会想到辞职呢？

　　B：_____，丰富一下自己的经历。

（趁）

（二）词语搭配

动词	+	宾语
切		蛋糕/菜/肉
预防		中毒/疾病/感冒/灾害
定语	**+**	**中心语**
美丽的/时代的/神秘的/主观的/感情/民族/喜剧		色彩
中国的/作品的/共同的/基本的/主要的		特色
中心语	**+**	**补语**
搅拌/翻炒		均匀
烫		红/熟/软/破
盖		好/严/紧/上（盖子）
炒/煮/炸		好/熟/烂/透
主语	**+**	**谓语**
分布/呼吸		均匀
色彩		鲜艳（xiānyàn，bright-colored）/丰富/强烈/明显

（三）词语辨析

■ 怀念—想念

	怀念	想念
共同点	都是动词，都表示对人或环境不能忘记，有思念的意思。	
共同点	如：每当回忆起小学时代的学习生活，我最怀念/想念的人就是刘老师。	
不同点	1. 多用于书面语，语义强调常常想起，不能忘记。	1. 多用于口语，语义强调希望见到某人。
不同点	如：刘教授非常怀念年轻时在国外留学的那段生活。	如：女儿告诉我，她很想念出差的爸爸。

怀念	想念
2. 多用于已去世的人或不能再见到的环境。	2. 多用于活着的人或能再见到的环境。
如：从文章中我们读到了先生对去世的母亲的怀念。	如：每到春节，我就格外想念家乡的一草一木。

● **做一做**：选词填空

	怀念	想念
（1）在南方的时候，我总是＿＿＿＿北方雪花飘飘的美景。	×	✓
（2）在国外工作的那段时间，他时时刻刻都在＿＿＿＿着家人。		
（3）一阵清风送来桂花的清香，令我＿＿＿＿起自己的家乡。		
（4）在楼房里住了十多年后，老李却开始＿＿＿＿起住在四合院里的生活。		

练习 **1** 选择合适的词语填空
Exercises

特色　预防　色彩　平安　清淡　均匀

❶ 也许是药物的作用，这一夜他＿＿＿＿＿地度过了。

❷ 最后，我们用酱油、白糖、味精等做成汁，＿＿＿＿＿地浇在鸡肉上就做好了。

❸ 饭菜很＿＿＿＿＿、很平常，却给我留下了极深的印象。

❹ 请你给我们推荐几个你们这儿的＿＿＿＿＿菜吧。

❺ 研究发现，常吃胡萝卜能起到保护眼睛、＿＿＿＿＿近视的效果。

❻ 此菜的特点是＿＿＿＿＿美观，咸鲜滑嫩，味香可口，营养丰富。

2 选择正确答案

❶ 女儿安静地睡在她身旁，呼吸也很＿＿＿＿＿。　　　（A. 均匀　B. 平均）

❷ 尽管这话里感情＿＿＿＿很重，但也不是没有道理。　（A. 色彩　B. 颜色）

❸ ＿＿＿＿我们从天津回来时，才听说她出国的事。　（A. 趁　B. 等）

❹ 了解李阳的人都说，李阳最大的＿＿＿＿就是胆大、敢干。

（A. 特色　B. 特点）

3 画线连接可以搭配的词语

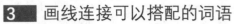

（1）			（2）	
烫	肉丝		口味	丰富
闻	饺子		色彩	透明
炒	手		玻璃	明显
煮	味道		特色	清淡

4 根据下面的提示词复述课文内容

内容提示	重点词语	课文复述
家乡的萝卜	怀念、色彩、口感、清淡	
萝卜饼的做法	极其、炒、煮、油炸、切、均匀、薄、烫、盖、闻	
萝卜饼的优点	色、香、味、形、养生	

扩展
Expansion

话题	HSK（五级）话题分类词语
饮食2	零食（língshí）、冰激凌（bīngjīlíng）、酱油（jiàngyóu）、醋（cù）、开水（kāishuǐ）、点心（diǎnxin）、营养（yíngyǎng）、口味（kǒuwèi）、胃口（wèikǒu）、淡（dàn）、臭（chòu）、软（ruǎn）、嫩（nèn）、过期（guòqī）

● **做一做**：从上表中选择合适的词语填空

（1）龙井茶是绿茶，冲泡三四遍后颜色和味道就都变＿＿＿＿＿了。

（2）这种鲜牛奶保质期只有4天，这袋已经＿＿＿＿＿好几天了。

（3）你下班时顺路带点儿＿＿＿＿＿吧，明天去公园玩儿丽丽肯定会要的。

（4）湖南长沙当地有种用豆腐制作的美食，看上去黑黑的，闻着也有股＿＿＿＿＿味，但吃起来味道棒极了。

运用
Application

背景分析：

中国有句话叫"民以食为天"。意思是说，饮食对老百姓来说，是天大的事，非常重要。中国人重视饮食，烹饪（pēngrèn, to cook）不仅是一种技术，也是一门艺术，是中国传统文化的重要组成部分。

中国各地区的自然环境、生活方式、风俗习惯等有很大差别，因而在饮食上也形成了各具特色的地方风味。有人说，一个人最难改变的就是他的口味，所以，要想了解一个地方的人，你必须先了解他们的胃。如果你正在中国留学或旅行，那就请你去吃吃当地的美食吧，你不仅可以尝到各种美味，更可以感受到生活在那里的中国人的五味人生。

话题讨论：中国菜

1. 你喜欢什么口味的菜？不喜欢什么味道的菜？你比较喜欢哪些中国菜？

2. 你学过做中国菜吗？学的是什么菜？

3. 你能介绍一下这个菜是怎么做的吗？

命题写作：

请以"我喜欢/会做的中国菜"为题，谈谈你这方面的经历。尽量用上本课所学的生词，字数不少于100字。

20 小人书摊
Picture-story book stalls

热身
Warm-up

1 请看下面的图片，试着找出本课跟它们有关的生词。

（1）

生词：成人 ＿＿＿＿＿

（2）

2 请问问你的同学或朋友，他们小时候有哪些印象深刻的娱乐活动？现在还有没有这样的活动？

国家	活动的名称或内容
中国	看小人书

课文
Text

小人书摊 （664字） 20-1

　　小人书，是一种以书的形式出版的连环画。在二十世纪五六十年代，那时候生活很单调，没有网络，没有动画片，读小人书是儿童最主要的娱乐之一。不仅小孩子爱看，还有无数的青少年和大人也爱看。

生词 20-2

*1. 摊　　　　tān　　n. stall, stand
2. 出版　　　chūbǎn　　v. to publish
*3. 连环画　liánhuánhuà
　　　　　　　　n. picture-story book
4. 年代　　　niándài　　n. decade of a century
5. 单调　　　dāndiào　　adj. monotonous, dull
6. 网络　　　wǎngluò　　n. network, web
7. 动画片　dònghuàpiàn　n. animated cartoon
8. 娱乐　　　yúlè
　　　　　n./v. entertainment; to amuse, to
　　　　　entertain
9. 无数　　　wúshù　　adj. countless, innumerable
10. 青少年　qīng-shàonián
　　　　　　　n. youngsters, teenagers

随着小人书的流行，出现了从事租书业务的小人书摊，这对于那些想看又买不起书的人来说，只用很少的钱就能看一本，毫无疑问是件大好事。

记得小时候，我家附近就有个小人书摊，就是一进街口靠墙的一个小棚子，里面用几块砖头支着粗糙的木头板子供人们坐着看书。棚子里有一张床板摆着各种题材的小人书，墙边还拉了几根绳子，一本本书翻开搭在上面，五颜六色的，很好看。为了减少损坏程度，每本小人书都用牛皮纸加了层封皮，封皮上用毛笔写上书名，整齐漂亮的毛笔字能充分地显示出书摊主人的文化水平。摊主是位上了年纪、身材瘦小的老人，总是穿着一件灰色长衫，静静地坐在一边，陪着看书的人们。

在这里看书的人大部分是附近住户的孩子，也有一些喜欢小人书的成人。租借小人书很便宜，在摊里看，每册1分钱，选好书坐下就看，看完连书带钱交给摊主；假如借走回家看，则每本每天2分钱，挑好书后交给摊主，摊主仔细地将租书人的姓名、地址和所借小人书的书名登记在本子上，收了租金就可以拿走了，第二天还书时再把记录一个一个地画掉，还书手续就算是办理好了。印象中似乎没有什么

11. 从事	cóngshì	v. to engage in
*12. 毫无	háowú	not in the least
13. 疑问	yíwèn	n. question, doubt
*14. 棚子	péngzi	n. shed, shack
*15. 砖头	zhuāntóu	n. brick
16. 支	zhī	v. to prop up, to support
17. 粗糙	cūcāo	adj. rough, crude
18. 木头	mùtou	n. wood, timber
*19. 题材	tícái	n. theme, subject matter
20. 翻	fān	v. to turn (over)
*21. 搭	dā	v. to hang over, to lay over
22. 整齐	zhěngqí	adj. tidy, orderly
23. 年纪	niánjì	n. age
24. 身材	shēncái	n. figure, stature
25. 成人	chéngrén	n. adult
26. 册	cè	m. volume
27. 假如	jiǎrú	conj. if, in case
28. 登记	dēngjì	v. to register, to enter one's name
29. 记录	jìlù	n./v. record, note; to record
30. 手续	shǒuxù	n. procedure
31. 办理	bànlǐ	v. to handle, to deal with

押金，全凭信用。我每天放学回家总要经过这家书摊，都要进去看看。

然而，这种影响了数代人的小人书，如今只能在北京的潘家园、护国寺等地的旧书摊上找到，一些印刷精美、有特色的作品则身价大涨，成了收藏品，甚至进了博物馆。小人书和小人书摊已成为历史的记忆。

改编自《中国电视报》，作者：俞万林

32. 押金	yājīn	n. cash pledge, deposit
33. 凭	píng	v./prep. to rely on; on the basis of
34. 印刷	yìnshuā	v. to print (books, newspapers, etc.)
35. 涨	zhǎng	v. to rise, to go up
*36. 收藏	shōucáng	v. to collect, to store up

专有名词

| 1. 潘家园 | Pānjiāyuán | Panjiayuan, a subdistrict in Beijing famous for its antique market |
| 2. 护国寺 | Hùguósì | Huguosi Street, a commercial street in Beijing |

注释（一）词语例释

Notes **1** 动词+得/不+起

表示主观上有（没有）实现（或承受）某种动作的能力和条件。例如：

（1）……这对于那些想看又买不起书的人来说，只用很少的钱就能看一本，毫无疑问是件大好事。

（2）古时候，有个十分好学的年轻人，但他家里很穷，买不起灯，一到晚上就不能读书。

（3）只有经得起困难和时间考验（kǎoyàn, test, trial）的朋友才算是真正的朋友。

● **练一练**：完成句子或对话

（1）A: 寒假去旅游，我们是坐火车还是坐飞机呢？

　　B: _____。（动词+得/不+起）

（2）我们应该降低价格，_____。（动词+得/不+起）

（3）A: 你们这种新产品的质量怎么样？

　　B: _____。（动词+得/不+起）

2 支

"支"，动词，表示用东西撑着使物体不落下来。例如：

（1）他的两只手放在桌上，支着脑袋，正在想事情。

（2）……我家附近就有个小人书摊，就是一进街口靠墙的一个小棚子，里面用几块砖头支着粗糙的木头板子供人们坐着看书。

"支"，也可以做量词，用于音乐作品、队伍或杆状的东西。例如：

（3）他弹第二支曲子（qǔzi, song, melody）时引起了牛的注意。

（4）给他十支枪，他就能拉起一支军队来。

● 练一练：完成句子或对话

（1）快，这张桌子坏了，＿＿＿＿＿＿＿＿＿＿＿＿＿＿＿＿＿。（支–动词）

（2）A: 这是什么曲子啊？这么好听。

　　B: ＿＿＿＿＿＿＿＿＿＿＿＿＿＿＿＿＿＿＿＿＿。（支–量词）

（3）A: ＿＿＿＿＿＿＿＿＿＿＿＿＿＿＿＿＿＿＿＿＿。（支–量词）

　　B: 是吗？那我就买这个吧。

3 凭

"凭"，动词，依靠。例如：

（1）干工作不能光凭经验，还要有创新。

（2）印象中似乎没有什么押金，全凭信用。

"凭"，还可以做介词，常用格式是"凭+宾语+动词"，表示根据、凭借。例如：

（3）请旅客们准备好车票，凭票进站。

（4）你凭什么怀疑我偷了东西？

● 练一练：完成对话

（1）A: 你以前去过吗？你是怎么找到那个房子的？

　　B: ＿＿＿＿＿＿＿＿＿＿＿＿＿＿＿＿＿＿＿＿＿。（凭）

（2）A: 我以前见过他跟别人吵架，所以我对他印象不太好。

　　B: ＿＿＿＿＿＿＿＿＿＿＿＿＿＿＿＿＿＿＿＿＿。（凭）

（3）A: 你看这几张照片，很漂亮吧！我们去那儿旅行怎么样？

　　B: ＿＿＿＿＿＿＿＿＿＿＿＿＿＿＿＿＿＿＿＿＿。（凭）

（二）词语搭配

动词	+	宾语
从事		（……的）工作/业务/职业
办理		手续/业务/信用卡
定语	+	中心语
粗糙的		皮肤/地面/木板
整齐的		房间/军队/声音
中心语	+	补语
登记		清楚/好
打/碰/闹		翻
数量词	+	名词
一册		书
一笔		押金
主语	+	谓语
生活/色彩/形式		单调
身材		好/高大/矮小/苗条

（三）词语辨析

■ 记录—纪录

	记录	纪录
不同点	1. 可做动词，指把听到的话或发生的事记下来。	1. 名词，指一定时期、一定范围内的最好成绩。
	如：我已经把这次会议的内容详细地记录下来了。	如：他在本次比赛中打破了世界纪录。
	2. 也可做名词，指记下来的材料或做记录的人。	2. 名词，也可指对有新闻价值的事件的记载。
	如：第二天还书时再把记录一个一个地画掉。 小刘，你来做这次会议的记录。	如：学校带孩子们看了一部有教育意义的纪录片。

● **做一做**：选词填空

		记录	纪录
（1）他又创造了新的奥运会_____。		×	✓
（2）小张呢？不是安排她来做会议_____吗？			
（3）我很喜欢看新闻_____片。			
（4）甲骨文_____了3000多年以前的中国历史和社会生活。			

练习
Exercises

1 选择合适的词语填空

涨　办理　从事　粗糙　单调　整齐

❶ 我想_____有挑战性的工作，因为那样可以更好地成长。

❷ 请96号顾客到2号窗口_____业务。

❸ 这房子装修得太_____了！你看，地板都没铺（pū, to spread, to lay）平。

❹ 窗外响起了一阵_____的歌声。

❺ 他觉得在中国的生活很_____，我却觉得很丰富。

❻ 最近几年，物价_____得很厉害。

2 选择正确答案

❶ 一般来说，一包香烟有二十____。　　　　　　　　（A. 册　　B. 支）

❷ 今天的课就到这儿，大家有什么____吗？　　　　　（A. 疑问　　B. 怀疑）

❸ 他____高大，动作灵活，很适合打篮球。　　　　　（A. 身体　　B. 身材）

❹ 这可以说是20世纪80____最流行的歌曲。　　　　（A. 年代　　B. 时代）

3 给括号里的词选择适当的位置

❶ 我的 A 经验 B 来自于 C 错误的 D 判断。　　　　　　　　（无数）

❷ 今天早上是谁打 A 了 B 桌子上 C 的牛奶 D？　　　　　　（翻）

❸ A 你每天都能 B 做好 C 一件事，D 那么你每天都能得到一份快乐。

（假如）

❹ 你的这个 A 结论 B 全 C 经验和想象，我认为不 D 科学。　　（凭）

4 根据下面的提示词复述课文内容

内容提示	重点词语	课文复述
小人书摊为什么会流行	出版、年代、单调、从事、买不起	
小人书摊的情况	支、翻、整齐、身材	
租借的手续	册、假如、登记、记录、办理、凭	
小人书的现状	印刷、涨	

扩展
Expansion

话题	HSK（五级）话题分类词语
单位、场所	俱乐部（jùlèbù）、幼儿园（yòu'éryuán）、博物馆（bówùguǎn）、酒吧（jiǔbā）、法院（fǎyuàn）、海关（hǎiguān）
生产2	生产（shēngchǎn）、发明（fāmíng）、设计（shèjì）、业务（yèwù）、项目（xiàngmù）、效率（xiàolǜ）、合法（héfǎ）、公平（gōngpíng）

● **做一做**：从上表中选择合适的词语填空

（1）我想报名参加射击_____，你有兴趣吗？

（2）我已经下飞机了，但还没出_____。

（3）世界上没有绝对的_____，比如鸡吃虫子，对虫子就是不公平的。

（4）在这个国家，留学生在没有得到允许的情况下在校外打工，是不_____的。

运用
pplication

背景分析：

　　每个人都有自己的童年时代。关于童年，我们有各种各样的记忆，愉快的、不愉快的，可能关于一件事，可能关于一个人，也可能是一件东西，或者一个曾经爱玩儿的游戏……虽然时间已经过去了很久，我们已经长大，但这些记忆，还藏在我们的心里。

话题讨论：**童年的生活与记忆**

　　1. 你的童年是在什么地方度过的？

　　2. 童年生活中，哪些人、哪些事或者哪些东西给你留下的印象最深刻？

　　3. 为什么这些人、这些事、这些东西给你留下了深刻的印象？

命题写作：

　　请以"我的童年"为题，谈一谈你的童年时代。尽量用上本课所学的生词，字数不少于100字。

热身
Warm-up

1 说说你母语所使用的文字和中文有什么不同。简单介绍一下你在学习汉字时，遇到了哪些困难或问题，你是怎么解决的。

2 从上图我们可以知道，汉字的字形随着时间的发展，产生了很大变化。请从本课生词中找出与下表中繁体字对应的简体写法。

繁體	邏輯	儘快	輸入	稱讚	開放	夢想
简体		尽快				

课文
Text

汉字叔叔：一个美国人的汉字情缘 （657字）　🔘 21-1

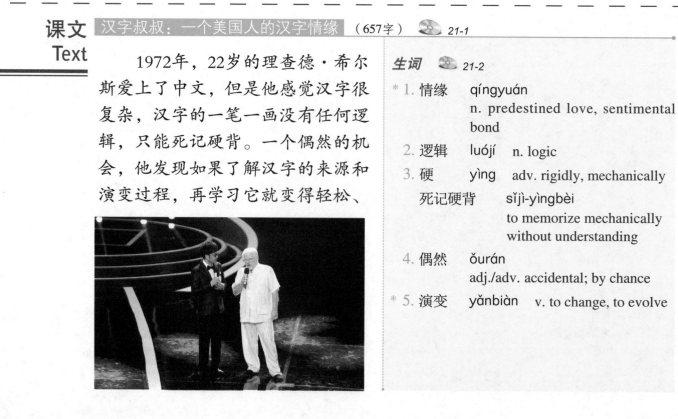

1972年，22岁的理查德·希尔斯爱上了中文，但是他感觉汉字很复杂，汉字的一笔一画没有任何逻辑，只能死记硬背。一个偶然的机会，他发现如果了解汉字的来源和演变过程，再学习它就变得轻松、

生词 🔘 21-2

*1. 情缘　qíngyuán
n. predestined love, sentimental bond

2. 逻辑　luójí　n. logic

3. 硬　yìng　adv. rigidly, mechanically
死记硬背　sǐjì-yìngbèi
to memorize mechanically without understanding

4. 偶然　ǒurán
adj./adv. accidental; by chance

*5. 演变　yǎnbiàn　v. to change, to evolve

容易。但是他遗憾地发现，几乎没有一本英文书能充分解释汉字的字源。

1994年，理查德得了心脏病，当时医生说他剩下的时间可能不多了。那时，他开始思考自己的人生，"我该怎么办？我该做什么？""如果只能活24小时，我会打电话和朋友们说再见；如果我还能活一年，我要抓紧时间尽快把《说文解字》电脑化。"就这样，一部部古汉字经典进入他的资料库，仅仅复印、整理和把这些资料输入电脑就用了8年。2002年元旦，战胜疾病的他决定把自己创办的网站公开，让更多喜欢中文的人在学习汉字时，不再像他最初那样学得那么痛苦。

2011年，有人把他的故事放到微博上，引起了广泛关注，他也因此被网友亲切地称呼为"汉字叔叔"。

打开汉字叔叔克服种种困难、花光全部积蓄创办的网站，可以看到他收集整理的近10万个汉字，包含了它们演变的全部字形，当然也包括繁体字形和简体字形，还有普通话和部分方言读音、英文释义等内容，被网友称赞为"有图有真相"。

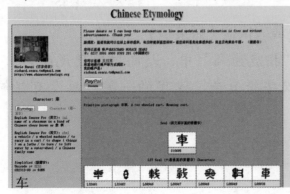

6. 遗憾 yíhàn
   adj./n. regretful; deep regret
7. 心脏 xīnzàng n. heart
8. 思考 sīkǎo
   v. to think deeply, to ponder
9. 抓紧 zhuā jǐn v. to firmly grasp
10. 尽快 jǐnkuài
    adv. as soon as possible
11. 经典 jīngdiǎn
    n./adj. classics; classical
12. 库 kù n. storehouse, bank
13. 输入 shūrù v. to input
14. 元旦 yuándàn n. New Year's Day
*15. 疾病 jíbìng n. disease, illness
*16. 创办 chuàngbàn
    v. to establish, to set up
17. 公开 gōngkāi
    v./adj. to make known to the public; open
18. 最初 zuìchū n. first, earliest
19. 痛苦 tòngkǔ adj. painful, suffering
*20. 微博 wēibó n. microblog
21. 称呼 chēnghu
    v./n. to call, to address; form of address
22. 克服 kèfú
    v. to overcome, to conquer
*23. 收集 shōují
    v. to collect, to gather
24. 包含 bāohán
    v. to contain, to include
*25. 繁体 (字) fántǐ (zì)
    n. complex form, traditional Chinese characters
*26. 简体 (字) jiǎntǐ (zì)
    n. simplified form, simplified Chinese characters
*27. 方言 fāngyán n. dialect
28. 称赞 chēngzàn
    v. to praise, to commend
*29. 真相 zhēnxiàng n. truth, fact

更让人佩服的是，汉字叔叔将网站上的内容全部开放给网友免费下载。

现在，有很多单位向理查德发出了工作邀请，而理查德选择了去北京师范大学教书，因为那里也有人在做汉字识别查询的研究。在北师大，他除了教物理，还有充分的时间继续研究他的汉字，完善他的网站。

在中国，60多岁已经是退休的年纪了。但汉字叔叔每天的日程却安排得很满。他说："我不会退休，我还要继续追求我的梦想，我要'活到老，学到老'。"

改编自《中国电视报》，作者：孙莲莲

30.	佩服	pèifú	v. to admire
31.	开放	kāifàng	v. to open to the public
32.	下载	xiàzài	v. to download
33.	单位	dānwèi	n. company, employer
*34.	识别	shíbié	v. to recognize, to identify
*35.	查询	cháxún	v. to search, to retrieve
36.	物理	wùlǐ	n. physics
37.	完善	wánshàn	v./adj. to make perfect, to improve; perfect
38.	退休	tuì xiū	v. to retire
39.	日程	rìchéng	n. schedule
40.	追求	zhuīqiú	v. to pursue, to go after
41.	梦想	mèngxiǎng	n./v. dream; to dream

专有名词

1. 理查德·希尔斯	Lǐchádé Xī'ěrsī	Richard Sears
2.《说文解字》	Shuōwén Jiězì	*Shuowen Jiezi*, literally "Explaining and Analyzing Characters", an early 2nd century dictionary of Chinese characters
3. 北京师范大学	Běijīng Shīfàn Dàxué	Beijing Normal University

注释（一）词语例释
Notes 1 硬

"硬"，副词，表示坚决或固执地（做某事）。例如：

（1）在中国历史故事"指鹿为马"中，赵高把鹿硬说成马。

（2）……但是他感觉汉字很复杂，汉字的一笔一画没有任何逻辑，只能死记硬背。

"硬"做副词时还表示能力不够却仍然尽力（做某事）。例如：

（3）你不知道这一年我是怎么硬挺过来的。

（4）虽然中药汤有点儿苦，但为了治病，他还是硬把它喝下去了。

● 练一练：完成句子或对话

（1）明明是他忘了，他却_____。（硬）

（2）快递员的工作很辛苦，_____。（硬）

（3）A: 谢谢你的好意，饭就不吃了，早点儿回去还要收拾行李呢。

B: 既然你还有事，_____。（硬）

2 偶然

"偶然"，形容词，表示事情发生在预料之外的，或按一般规律看不可能发生的。例如：

（1）一个偶然的机会，他发现如果了解汉字的来源和演变过程，再学习它就变得轻松、容易。

（2）虽然桂花偶然也能长成18米高的大树，但是绝大多数情况下它们都很矮。

"偶然"也可以做副词，意思是"偶尔，有时候"。例如：

（3）她专心地织着毛衣，偶然也会抬眼看一下墙上的挂钟。

（4）那些我生活过的地方，偶然也会在我梦中出现，但都不是我的"家"！

● 练一练：完成句子或对话

（1）_____彻底改变了他的命运。（偶然—形）

（2）A: 你是怎么知道那家时装店在招聘的？

B: _____。（偶然—形）

（3）A: 你不是不喜欢吃方便面吗？

B: _____。（偶然—副）

尽快

"尽快"，副词，尽量加快。例如：

（1）……我要抓紧时间尽快把《说文解字》电脑化。

（2）新产品出了点儿问题，你和严经理尽快商量一下这事。

（3）趁这两天天气好，你尽快把过季的衣服洗一洗，收起来。

● **练一练**：完成句子或对话

（1）下个月就开会讨论计划了，我_____。（尽快）

（2）病人的情况很危险，_____。（尽快）

（3）A: 小刘已经联系好了客人，就等你这边安排酒店了。

　　　B: _____。（尽快）

（二）词语搭配

动词	+	宾语
收集		资料/例子/情况/意见/证据/零件/邮票
克服		缺点/弱点/（消极）思想/（不利）条件
追求		理想/爱情/科学/知识/健康/外表/权力/速度/质量/享受/时髦（shímáo, fashionable）/独立/进步

定语	+	中心语
完善的		制度/办法/设计/方案/法律
公开的		文件/身份/秘密/活动/行动

状语	+	中心语
暗暗地/深深地/打心里		佩服
认真/反复/紧张地/耐心地/专心地/慢慢地/仔细地		思考

主语	+	谓语
日程		确定/紧/满/松
梦想		实现/（被）打破

（三）词语辨析

■ 偶然—偶尔

	偶然	偶尔
共同点	都可以是副词，都有不经常的意思，有时可以互换，但意思稍有不同。	
	在校园里，我偶然/偶尔也会碰到李艳。	
不同点	1. 词义侧重表示有些突然、没想到，跟"必然"相对。	1. 词义侧重强调次数少，跟"经常"相对。
	如：这本书是她一次逛书市时偶然发现的。	如：我平时加班不多，月底偶尔有一两天。
	2. 还可以表示事情发生在意料之外的，或按一般规律看不可能发生的。可做定语、谓语，前面可带程度副词。	2. 还可以是属性词，只做定语，前面不能加程度副词，也不能做谓语，这种用法不常用。
	如：李阳的父亲是一位画家，所以，李阳喜欢画画儿并非偶然。	如：他在农村的生活很单调，偶尔的聚会还是在村里的老房子里举行，很无聊。

● 做一做：选词填空

	偶然	偶尔
（1）和刘峰在上海的那次碰面非常_____。	✓	×
（2）在昨天的训练中，他很_____地和队友撞在了一起，受了伤。		
（3）她们多半会到丽丽家玩儿，_____也会去吃饭看电影。		
（4）大家都安静地吃着，只听到筷子碰到碗边儿的声音和_____的几声咳嗽。		

练习 **1** 选择合适的词语填空
Exercises

收集　　克服　　追求　　公开　　佩服　　抓紧

❶ 这点儿困难不算什么，我一定可以_____的。

❷ 其实，林峰与刘医生的恋情，在医院里已经是_____的秘密了。

❸ 我们是大学同学，那时候他就有了这个_____老报纸的爱好。

❹ 你_____准备一下，争取下周把这个项目谈下来。

❺ 她对工作认真负责的态度很让人_____。

❻ 爸爸平时常提醒我，生活上不要过于_____享受。

2 选择正确答案

❶ 买车的事我还没想好，你让我再_____几天。　　　　　（A. 思考　B. 考虑）

❷ 令人_____的是，我回国前没能和他见上一面。　　　　（A. 遗憾　B. 后悔）

❸ 什么？小明受伤了，那_____送医院呀！　　　　　　　（A. 尽快　B. 赶快）

❹ 有文字学家指出，_____的文字就是可以读出来的图画。

（A. 最初　B. 当初）

3 画线连接可以搭配的词语

（1）		（2）	
追求	秘密	提上	逻辑
公开	梦想	符合	称赞
收集	制度	受到	资料
完善	雨水	下载	日程

4 根据下面的提示词复述课文内容

内容提示	重点词语	课文复述
理查德学汉字的经验	笔画、逻辑、死记硬背、偶然	
理查德的汉字网站	抓紧、尽快、资料、输入、公开、收集、克服、包含、开放、下载	
理查德现在的工作情况	单位、查询、物理、完善、追求、梦想、日程	

扩展
Expansion

话题	HSK（五级）话题分类词语
学科	哲学（zhéxué）、化学（huàxué）、物理（wùlǐ）、政治（zhèngzhì）
软件操作	粘贴（zhāntiē）、复制（fùzhì）、浏览（liúlǎn）、删除（shānchú）、搜索（sōusuǒ）、文件（wénjiàn）

● **做一做**：从上表中选择合适的词语填空

（1）昨天我把电脑好好整理了一下，把没用的文件、照片都_____了。

（2）据调查，有70%的网民经常在网上_____信息、找资料。

（3）老年人喜欢读报，而年轻人现在大都是在网上_____新闻了。

（4）你把他们送来的广告设计方案_____一份到移动硬盘里。

背景分析：

现在全世界学习汉语的人越来越多，学汉语的目的也多种多样，有的为了工作，有的为了求学，还有的只是出于兴趣，但有一点是共同的，那就是他们希望了解中国、走近中国。作家王蒙先生说得好，"多学一种语言，不仅是多打开一扇窗子，多一种获得知识的桥梁（qiáoliáng, bridge），而且是多一个世界，多一个头脑，多一重生命"。希望借助汉语的学习，可以开阔（kāikuò, to broaden）你的眼界和思路，丰富你的知识和生活。

话题讨论：**学汉语**

1.出于什么目的或原因，你做出了学汉语的决定？

2.你在学习过程中遇到过什么困难？你是怎么克服的？

3.学汉语给你的生活带来了哪些改变？从中你得到了哪些收获（shōuhuò, gain）？

命题写作：

请以"我为什么学汉语"为题，谈一谈你的想法和经历。尽量用上本课所学的生词，字数不少于100字。

体会教育

Unit 8

Understanding education

阅读与思考
Reading and thinking

请看下面的图片并说说你知道的颜色。

颜色： <u>红</u>

2 你喜欢写作文吗？你觉得有哪些提高写作水平的好方法？请给老师和同学们介绍一下。

课文 阅读与思考 （578字） 💿 22-1
Text

很多家长可能过分强调阅读的作用，觉得多读书就能够把作文写得特别好。这个观点是不客观、不全面的，我们需要转变自己的观念。

我曾经听一位美国的小学老师说，他们十分重视和学生一起讨论问题。比如，他们讨论过《卖火柴的小女孩儿》是写给谁看的，还讨论过灰姑娘的故事。老师讲完故事之后，问同学们：灰姑娘一旦进了这个王宫，成为王子的心上人，她

生词 💿 22-2

1. 过分　guòfèn　adj. excessive
2. 强调　qiángdiào　v. to emphasize
3. 作文　zuòwén　n. essay, composition
4. 观点　guāndiǎn　n. idea, opinion
5. 客观　kèguān　adj. objective
6. 全面　quánmiàn
　　　adj. all-round, comprehensive
7. 转变　zhuǎnbiàn
　　　v. to change, to transform
8. 观念　guānniàn　n. mentality, concept
9. 火柴　huǒchái
　　　n. match (for producing a flame, etc.)
10. 灰　huī　n./adj. dust; gray
11. 一旦　yídàn　adv. once, when
*12. 王宫　wánggōng　n. royal palace
13. 王子　wángzǐ　n. prince

的梦想实现了，一切幸福都属于她之后，这时她应该怎样对待她的继母，应该怎样对待她的两个姐姐？

为什么要讨论这个问题呢？因为这是一种情感交换。老师和学生通过讨论得出的结论是：一个已经拥有巨大幸福的人，应该原谅和理解那些伤害过自己的人。另外还要承认人性中一些先天的不完美，就是说作为一个母亲，在自己的亲生女儿和不是亲生的灰姑娘之间，难免会更疼爱自己亲生的女儿，很难完全平等地对待她们。可能你觉得继母很自私，但这种行为有自然倾向的理由，与道德没有必然的关系。

自从我听说了这件事，就开始思考应该如何阅读，除了阅读还应该做什么。你看这个老师在讲童话的时候，已经在有意识地把这种情感影响，甚至把人性的价值判断，都给了孩子们。如果只是单纯地主张阅读而不强调思考，那是片面的。

"知识"两个字我始终认为它是要分开来谈的，"知"就是知感，"识"就是认识。所谓"知感"就是别人告诉你、说给你听、要求你记住的那一部分。但只有这一部分是不够的，还要有认识、思考。

改编自《北京青年报》，作者：梁晓声

14. 属于　　shǔyú　　v. to belong to

15. 对待　　duìdài
v. to treat, to adopt a certain attitude towards

16. 交换　　jiāohuàn
v. to exchange, to interchange

*17. 拥有　　yōngyǒu
v. to own, to possess

18. 巨大　　jùdà　　adj. huge, tremendous

19. 承认　　chéngrèn
v. to admit, to acknowledge

*20. 人性　　rénxìng　　n. human nature

21. 完美　　wánměi
adj. perfect, flawless

22. 难免　　nánmiǎn　　adj. hard to avoid

23. 疼爱　　téng'ài　　v. to love dearly

24. 平等　　píngděng　　adj. equal

25. 自私　　zìsī　　adj. selfish

*26. 倾向　　qīngxiàng
v./n. to be inclined to; tendency, inclination

27. 理由　　lǐyóu　　n. reason, ground

28. 道德　　dàodé　　n. morality, ethics

29. 自从　　zìcóng　　prep. ever since

*30. 童话　　tónghuà　　n. fairy tale

31. 价值　　jiàzhí　　n. value

32. 单纯　　dānchún　　adj. simple, mere

33. 主张　　zhǔzhāng
v./n. to hold, to advocate; view, stand

*34. 知感　　zhīgǎn　　n. sense, perception

专有名词

1. 《卖火柴的小女孩儿》
Mài Huǒchái de Xiǎo Nǚháir
The Little Match Girl, a short story by the Danish author H. C. Andersen

2. 灰姑娘　　Huīgūniang　　Cinderella

注释（一）词语例释

Notes 1 一旦

"一旦"，副词，表示不确定的时间、突然到来的一天或者假如有这么一天。例如：

（1）长大后，我终于明白了这个道理：女人一旦做了母亲，就变得矛盾了。

（2）灰姑娘一旦进了这个王宫，……应该怎样对待她的继母，应该怎样对待她的两个姐姐？

（3）所谓私人空间，是指我们身体周围的一定的空间，一旦有人闯入这个空间，我们就会感觉不舒服、不自在。

● 练一练：完成句子

（1）这件事＿＿＿＿＿＿＿＿＿＿＿＿＿＿＿＿＿＿，那可就麻烦了。（一旦）

（2）＿＿＿＿＿＿＿＿＿＿＿＿＿＿＿＿＿＿，我就立刻通知你。（一旦）

（3）这项技术＿＿＿＿＿＿＿＿＿＿＿＿＿＿，将会大大提高产品的竞争力。 （一旦）

2 难免

"难免"，形容词，不容易避免的，避免不了的。例如：

（1）刚开始工作，这样的错误是难免的。

（2）朋友间难免会产生矛盾、误会甚至是伤害。

（3）……作为一个母亲，在自己的亲生女儿和不是亲生的灰姑娘之间，难免会更疼爱自己亲生的女儿，很难完全平等地对待她们。

● 练一练：完成句子或对话

（1）A: 这孩子真是太淘气了！

　　B: ＿＿＿＿＿＿＿＿＿＿＿＿＿＿＿＿＿＿＿。（难免）

（2）刚刚退休的老人＿＿＿＿＿＿＿＿＿＿＿＿＿＿＿＿。 （难免）

（3）A: 马上就要考试了，我觉得很紧张。

　　B: ＿＿＿＿＿＿＿＿＿＿＿＿＿＿＿＿＿＿＿。（难免）

3 自从

"自从"，介词，表示从过去某个时间开始。例如：

（1）自从城市出现后，它就成为人类生活的中心。

（2）自从有了长大后成为作家这个理想之后，他每天都坚持写作。

（3）自从我听说了这件事，就开始思考应该如何阅读，除了阅读还应该做什么。

● 练一练：完成句子或对话

（1）自从我来中国以后，_____。

（2）_____，我的观念就转变了。（自从）

（3）A: 你跟你同屋现在的关系怎么样？

　　　B: _____。（自从）

（二）词语搭配

动词	+	宾语
承认		事实/错误
转变		方法/方式/观念/思路/态度
交换		物品/位置/意见
有/坚持		主张
定语	+	中心语
完美的		人/世界/生活/婚姻/计划
平等的		地位/待遇/权利
自私的		人/想法/行为
状语	+	中心语
过分（地）		强调/追求
全面（地）		看/了解/思考/发展
认真/正确/冷静/客观/公平（地）		对待

（三）词语辨析

■■ 平等—公平

	平等	公平
共同点	都是形容词，意思相近，有时可换用。	
	如：作为一个母亲，在自己的亲生女儿和不是亲生的灰姑娘之间，难免会更疼爱自己亲生的女儿，很难完全平等/公平地对待她们。	
不同点	1. 强调人和人在社会上得到的权利或待遇一样。	1. 强调处理事情合情合理，不偏向于一方。
	如：法律面前人人平等。	如：我们应当公平竞争。
	2. 多用于普遍性的、一般的情况。	2. 可用于具体的人或事。
	如：现实社会中，女人与男人有时并不平等。	如：我认为公司对这次事情的处理（chǔlǐ, to handle）不够公平。

● 做一做：选词填空

	平等	公平
（1）机会对每个人来说都是_____的。	✓	×
（2）这次比赛很_____，没有什么问题。		
（3）作为法官，你做事应该_____。		
（4）人生来是_____的，人人都有权追求自由和幸福。		

练习 1 选择合适的词语填空
Exercises

承认　　过分　　价值　　客观　　理由　　主张

❶ 虽然这次的错误有点儿严重，你也应该勇敢地_____。

❷ 人都是有感情甚至自私的，很难做到任何时候都很_____。

❸ 你的这个建议很有_____，我马上告诉总裁。

❹ 他_____将会议地点改在上海，因为这次的合作伙伴对我们来说非常重要。

❺ 你这种做法太_____了，我不能接受！

❻ 希望你能给我一个好的_____，解释清楚你为什么这么做。

2 选择正确答案

❶ 你可以试着_____一下思路，可能会快一点解决问题。

(A. 变化　　B. 转变)

❷ 我不同意你的_____，我觉得这部电影很不错。　(A. 观点　　B. 观念)

❸ 这次新产品销售得不好的_____是宣传推广做得不够。

(A. 原因　　B. 理由)

❹ 他太_____了，这样很容易被人骗。　(A. 单调　　B. 单纯)

3 画线连接可以搭配的词语

（1）		（2）	
交换	我们	完美的	了解
转变	意见	自私的	行为
属于	错误	全面地	计划
承认	观念	平等地	对待

4 根据下面的提示词复述课文内容

内容提示	重点词语	课文复述
一些家长的观念	过分、作文、客观、转变	
关于《灰姑娘》的讨论	一旦、对待、交换、承认、难免、平等、理由	
作者的思考	自从、价值、单纯	

扩展
Expansion

话题	HSK（五级）话题分类词语
写作表达	作文（zuòwén）、论文（lùnwén）、主题（zhǔtí）、题目（tímù）、话题（huàtí）、目录（mùlù）、提纲（tígāng）、标点（biāodiǎn）、废话（fèihuà）、胡说（húshuō）

● **做一做**：从上表中选择合适的词语填空

（1）买书的时候我一般会先看看前面的_____，这样可以了解书的大概内容。

（2）这不是一篇研究型的文章，算不上是一篇_____。

（3）这个地方的_____用错了，这是书的名字，应该用书名号。

（4）你现在完全是在说_____，解决不了问题！

运用
Application

背景分析：

　　《灰姑娘》是众所周知的童话。它原来是欧洲很多国家都在讲述的民间故事，后来由法国作家夏尔·佩罗（Charles Perrault）和德国的格林兄弟（Jacob and Wilhelm Grimm）采集编写而成。目前大家熟知的有两个版本，并被翻译成多种文字，在全世界流传。"灰"这个词，在汉语中既可以指尘土（chéntǔ，dust），也可以指颜色，形象地描写出了灰姑娘生活的环境。

话题讨论：灰姑娘应该怎么做

1. 你读过《灰姑娘》这篇童话吗？简单地讲讲这个故事。

2. 如果你是灰姑娘，成为王子的心上人并进入王宫以后，你会怎么对待继母和姐姐？

3. 作者认为应该承认人性中一些先天的不完美，你同意他的看法吗？

命题写作：

　　请以"假如我是灰姑娘"为题，谈一谈你的看法。尽量用上本课所学的生词，字数不少于100字。

放手
Letting go

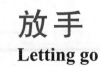

热身
Warm-up **1** 你觉得这幅图片想告诉我们什么？说说你对这幅图片的理解。

2 请从本课的生词中找出与学校生活有关的词语，试试用它们各说一句话。

词语	造句
主席	大学期间，我曾经当过学生会主席。

课文
Text 放手 （716字） 🔘 *23-1*

　　文文从小是个乖乖女，学习刻苦，遵守纪律。大事小事，尽管妈妈表示也要征求她的意见，但上哪所学校、念什么专业，甚至跟什么人交朋友，基本上都是妈妈说了算。

生词 🔘 *23-2*

1. 乖　guāi
   adj. obedient, well-behaved

2. 刻苦　kèkǔ
   adj. hardworking, assiduous

3. 遵守　zūnshǒu
   v. to abide by, to observe

4. 纪律　jìlù　n. discipline, rule

5. 征求　zhēngqiú
   v. to seek, to ask for

6. 念　niàn　v. to study

7. 基本　jīběn
   adv. basically, on the whole

可是到了大学阶段，亲爱的女儿竟然违反了乖乖女的各种规矩，越来越有自己的主见，越来越能干、独立了。尽管她的成绩仍然是第一名，但她不再甘于当"好学生"：她逃课去听各种讲座，出席欧盟商会的鸡尾酒会，做志愿者，拍电影，学摄影，泡酒吧，参加了学生会并担任了学生会主席，还组织各种社会活动。妈妈以前要她当外交官的计划，在她眼里"实在没什么意思"，她觉得经商才是自己的目标。

她放弃了本系保送研究生、放弃了各种工作的面试，坚持要去国外留学，结果12所世界名牌大学录取了她。当面临是否选择牛津大学时，她们全家开会，爸爸妈妈认为应该去，但文文跟他们的意见不一致，她坚持要去美国。

这一次妈妈让步了。她隐隐约约觉得：自己该完全放手了。没想到，正是妈妈的放手，让风筝越飞越高。

几年后，文文在美国工作，妈妈去洛杉矶看她。在这个陌生的地方，妈妈感到她们好像交换了某种身份：自己倒像女儿，而文文倒像妈妈。她们建立了一种新的关系。

最初，妈妈哪儿也不敢去，不能单独出门，不能与人沟通，什么都要靠女儿。后来文文工作忙，就给她地图、车钥匙、机票，鼓励她

8.	阶段	jiēduàn	n. stage, phase
9.	亲爱	qīn'ài	adj. dear, beloved
10.	违反	wéifǎn	v. to violate, to go against
11.	规矩	guīju	n. rule, established practice
12.	能干	nénggàn	adj. capable
13.	讲座	jiǎngzuò	n. lecture
14.	出席	chūxí	v. to attend, to be present
15.	酒吧	jiǔbā	n. bar (for drinks)
16.	担任	dānrèn	v. to serve as, to hold the post of
17.	主席	zhǔxí	n. chairperson
18.	组织	zǔzhī	v. to organize
19.	外交	wàijiāo	n. diplomacy
20.	经商	jīng shāng	v. to do business, to engage in trade
21.	目标	mùbiāo	n. goal, objective
22.	系	xì	n. department (of a university)
23.	名牌	míngpái	n. famous brand
24.	录取	lùqǔ	v. to enroll, to admit
25.	面临	miànlín	v. to face, to confront
26.	一致	yízhì	adj. identical, unanimous
*27.	让步	ràng bù	v. to concede, to give in
*28.	隐约	yǐnyuē	adj. indistinct, vague
29.	陌生	mòshēng	adj. strange, unfamiliar
30.	某	mǒu	pron. some, certain
31.	建立	jiànlì	v. to build, to establish
32.	单独	dāndú	adv. alone, by oneself
33.	沟通	gōutōng	v. to communicate

自己出去。从家门口的超市开始，妈妈越走越远，最后竟然独自把美国横穿了一遍。她说，是女儿的"放手"，让她走得更远。做妈妈的，这才算是真正明白了"放手"的重要。

2010年3月的一个夜晚，母女俩躺在夏威夷的沙滩上谈心。妈妈第一次为以前对女儿的"不放手"而道歉。文文沉默了很久，最后吻了妈妈一下，轻轻地说："妈妈，我真的很喜欢现在的你。"妈妈忍不住流下了眼泪。她说："幸亏那晚天色很暗。"

改编自《中国青年报》，作者：从玉华

*34.	横	héng	adj. across
35.	沙滩	shātān	n. sand beach
36.	沉默	chénmò	v. to be silent
37.	吻	wěn	v. to kiss
38.	忍不住	rěnbuzhù	cannot help (doing sth.)
39.	幸亏	xìngkuī	adv. fortunately
40.	暗	àn	adj. dark, dim

专有名词

1.	文文	Wénwen Wenwen, name of a person
2.	欧盟	Ōu Méng European Union
3.	牛津大学	Niújīn Dàxué University of Oxford
4.	洛杉矶	Luòshānjī Los Angeles
5.	夏威夷	Xiàwēiyí Hawaii

注释（一）词语例释

Notes 1 一致

"一致"，形容词，表示没有分歧（fēnqí, disagreement）。例如：

（1）……但文文跟他们的意见不一致，她坚持要去美国。

（2）长期共同生活的夫妻在兴趣爱好、心理情绪上也趋于一致。

"一致"也可以做副词，表示一同、一齐。例如：

（3）双方一致表示将进一步发展友好合作关系。

（4）专家们一致认为这是一种成功的产品，可以放心使用。

● **练一练**：完成句子或对话

（1）她是一名酒店服务员，工作很勤奋，_____。（一致）

（2）A: 公司开会讨论你做的产品宣传方案了吗？

　　B: _____。（一致）

（3）A: 广告播出时间还是放在晚八点的时段比较好，你说呢？

　　B: _____。（一致）

2 某

"某"，指示代词，常指一定的人或事物，一般用在姓氏后，表示知道名字而不说出，有时有贬义。例如：

（1）公司业务员李某闻之大喜，以为自己碰到了一个大买主。

（2）在公园的墙上写"某某到此一游"之类的行为是极不文明的。

"某"，也可以指不确定的人或事物。例如：

（3）人们如果长期进行某一方面的训练，就可以使大脑在某一方面的反应能力提高。

（4）在这个陌生的地方，妈妈感到她们好像交换了某种身份：自己倒像女儿，而文文倒像妈妈。

● 练一练：指出下面各句中的"某"是哪种用法

（1）一位著名的教授到某大学做演讲，教室被学生挤得满满的，连走道上也坐满了人。　　　　　　　　　　（　　　　）

（2）两人约定时间于展览馆某入口处相见，一同参观展览。

（　　　　）

（3）刘主任把所有费用全部公开，连某年某月买了12元的纸都记录得很清楚。　　　　　　　　　　　　　（　　　　）

3 幸亏

"幸亏"，副词，表示由于某些原因而避免了不希望发生的事情。例如：

（1）幸亏你提醒了我，我今天就去报名。

（2）医生说这个病人是心脏问题，幸亏送来得及时。

（3）妈妈忍不住流下了眼泪。她说："幸亏那晚天色很暗。"

● 练一练：完成句子或对话

（1）＿＿＿＿＿＿＿＿＿＿＿＿＿＿＿＿，我们今天才没走错路。（幸亏）

（2）A: 你回来啦，我正想去接你呢，这是谁的雨伞啊？

　　 B: ＿＿＿＿＿＿＿＿＿＿＿＿＿＿＿＿。（幸亏）

（3）A: 小莉，你再看看，这几批产品的数量是不是有问题啊？

　　 B: ＿＿＿＿＿＿＿＿＿＿＿＿＿＿＿＿。（幸亏）

（二）词语搭配

动词	+	宾语
遵守		法律/规定/纪律/原则/规矩/秩序
违反		法律/规定/纪律/程序/规律/科学
定语	**+**	**中心语**
陌生的		城市/名字/声音/感觉/环境/时代
基本的		条件/理论知识/认识/结构/权利/制度
状语	**+**	**中心语**
及时/积极/直接/慢慢/顺利地		沟通
轻轻地/深情地/亲切地/大胆地		吻
中心语	**+**	**补语**
沉默		起来/下去
计算		出/出来
主语	**+**	**谓语**
工作/学习		认真/努力/刻苦
目标		清楚/远大/一致/坚定/实现

（三）词语辨析

■ 单独—独自

	单独	独自
共同点	都可以做副词，有自己一个人的意思。	
	如：你太年轻了，恐怕不能单独/独自一人完成这个任务。	

	单独	独自
不同点	1. 词义侧重不跟别的合在一起。	1. 词义侧重一个人独立做某事。
	如：你下午有时间吗？我想和你单独谈谈。	如：孩子饿得等不及爸爸了，就独自先吃了起来。
	2. 还可以用于事物。	2. 不可以用于事物。
	如：做这个菜时，鸡蛋要先单独炒好备用。	
	3. 可以做形容词，在句中做定语。	3. 不可以做形容词。
	如：本科生上课有单独的教室。	

● **做一做**：选词填空

	单独	独自
（1）这所大学为女生提供了_____的考试，引起了激烈争论。	✓	×
（2）他_____一人在体育馆里进行训练。		
（3）教练为他_____安排了训练。		
（4）我喜欢早起，_____去公园散步，顺便考虑一下一天的工作。		

练习
Exercises

1 选择合适的词语填空

沉默　　能干　　沟通　　陌生　　刻苦　　建立

❶ 公司已与这家银行_____起了良好的业务关系。

❷ 妈妈在电话那端_____了一会儿说："真抱歉！我差点儿忘了。"

❸ 经过_____训练，她终于成为了我们的第一批女飞行员。

❹ 喜欢篮球的观众对姚明这个名字一定不会_____。

❺ 你跟幼儿园的老师_____一下，看看到底是什么原因。

❻ 那个小姑娘既_____又漂亮。

2 选择正确答案

❶ 我儿子要是能这样懂_____，该有多么好啊！（A. 规矩　　B. 规定）

❷ _____了吴县长，咱不用出村就把苹果都卖了。（A. 幸亏　　B. 多亏）

❸ 我给他打电话的_____是看他回来了没有。（A. 目标　　B. 目的）

❹ 他的建议一提出，就得到了大家的_____认可。（A. 一致　　B. 一样）

3 画线连接可以搭配的词语

（1）		（2）	
征求	宴会	一致的	单位
面临	经理	精彩的	讲座
出席	意见	陌生的	主席
担任	危机	能干的	结论

4 根据下面的提示词复述课文内容

内容提示	重点词语	课文复述
文文小时候的情况	乖乖女、刻苦、纪律、征求、说了算	
文文大学期间的表现	规矩、主见、能干、独立、出席、组织、目标	
文文留学的决定	保送、面试、名牌、录取、一致	
妈妈的美国之行	陌生、交换、身份、单独、沟通、靠、鼓励	

扩展 Expansion	话题	HSK（五级）话题分类词语
	教学1	教材（jiàocái）、课程（kèchéng）、实习（shíxí）、学历（xuélì）、本科（běnkē）、系（xì）、讲座（jiǎngzuò）
	学术	学术（xuéshù）、学问（xuéwèn）、理论（lǐlùn）、资料（zīliào）、修改（xiūgǎi）、发表（fābiǎo）

● **做一做**：从上表中选择合适的词语填空

（1）请你帮我看看这篇作文有什么毛病，给我提提_____意见。

（2）李教授是知名的历史学家，在_____研究方面取得了丰富的成果。

（3）这是国内首部针对HSK考试编写的汉语_____，分为6级，共9册。

（4）现在，我在一家出版社_____，要是表现好的话，应该能留下工作。

运用
Application

背景分析：

　　一位留学生读过本文后，在作业中这样写道：我的父母不太管孩子，所以我可以选自己喜欢的专业。可我的一位朋友就没这么幸运了。她本来大学毕业后想考公务员，不过，她父母强迫她上研究生。她现在跟我一起上课，可她觉得研究生的生活不太幸福，而且成绩不那么好……

　　对此，你有何感想？中国有句成语叫"望子成龙"，意思是父母都希望自己的孩子将来能成为一个出色（chūsè, outstanding）的人才，他们在孩子身上寄托（jìtuō, to place on）了很大的希望，并愿意为之付出自己的时间和精力。但尊重孩子的意见，重视与孩子的交流沟通，也是非常重要的。

话题讨论：子女教育

　　1. 在学习问题上，你和父母有过争吵吗？

　　2. 你和父母交流时，你感觉你们是平等的吗？

　　3. 当你遇到问题或犯了错误时，父母是怎么帮助你的？举例说明。

命题写作：

　　请以"我想对父母说的是……"为题，谈一谈你和父母之间的关系。尽量用上本课所学的生词，字数不少于100字。

24 支教行动
Volunteer teaching

请看下面的图片，试着找出本课跟它们有关的生词。

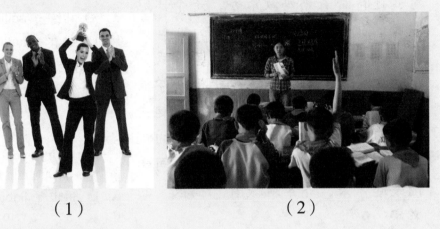

（1）   （2）

生词：冠军 _____

2 中国有这样一些志愿者，他们会去经济不太发达的地区或农村的学校当老师，帮助那里的孩子学习。你听说过没有？你对志愿者有什么看法？

课文
Text 支教行动 （682字） 💿 24-1

来云南支教一年多，郝琳硕老师自己也记不清有多少次家访了。刚到时，一位叫赵福根的男生引起了她的注意。他上课从不发言，很多课不及格，平时也几乎不和同学交往。

生词 💿 24-2

* 1. 支教 zhī jiào
   v. to volunteer to teach in a backward region

2. 行动 xíngdòng   n. action, activity

* 3. 家访 jiāfǎng
   v. to visit the parents of schoolchildren

4. 发言 fā yán
   v. to speak, to make a speech

5. 及格 jí gé   v. to pass an exam

6. 交往 jiāowǎng
   v. to associate, to contact

郝老师家访后得知，赵福根的父亲去世了，姐姐在外打工，他家里很穷，还得帮着妈妈做家务，是个体贴孝顺的孩子。"和他妈妈聊天才知道他很喜欢跳舞，"郝老师说，"我觉得这是个机会！"她鼓励福根在学校艺术节上表演，每周二带着他一起去找音乐老师排练。表演时，福根的蝴蝶舞得了舞蹈组的冠军，台下的同学们鼓起掌来，齐声地喊着"福根"的名字……

之后，赵福根学习用功了，成绩也逐渐进步。他写了一篇题目为《那天的舞蹈和掌声》的作文，得了全班最高分，他朗读了自己的作文："郝老师来到我家，那是第一次有老师来。她非常温柔……我永远都忘不了那热烈的掌声和同学们送我的糖，甜甜的。我感觉在学校也有人爱我了，我开始有勇气……"

郝老师发现，山里的青壮年都出去闯世界，只有老人、孩子留守，"他们出去了还回来吗？大山以后谁来负责"？于是，郝老师组织了一个8周的研究型学习活动，主题是"让家乡的明天更美好"。她鼓励学生寻找村子的问题，通过了解历史地理情况、采访村里的老人、小组讨论等，最终提出解决方案。她和其他志愿者利用午休、周末等空闲时间给学生们指导和培训。

学生们说："以前，我们总认为建设家乡是大人的事，用不着我们

7.	家务	jiāwù	n. household duties
8.	体贴	tǐtiē	adj. thoughtful, considerate
*9.	排练	páiliàn	v. to rehearse
10.	蝴蝶	húdié	n. butterfly
*11.	舞蹈	wǔdǎo	n. dance
12.	冠军	guànjūn	n. champion, first-prize winner
13.	鼓掌	gǔ zhǎng	v. to applaud
14.	用功	yònggōng	adj. hardworking, diligent
15.	进步	jìnbù	v. to make progress, to improve
16.	题目	tímù	n. title
17.	朗读	lǎngdú	v. to read aloud
18.	温柔	wēnróu	adj. gentle
19.	热烈	rèliè	adj. enthusiastic, ardent
20.	勇气	yǒngqì	n. courage
*21.	青壮年	qīng-zhuàngnián	young and middle-aged adults
22.	闯	chuǎng	v. to go around (to accomplish certain goals)
*23.	留守	liúshǒu	v. to stay behind to take care of things
24.	主题	zhǔtí	n. theme, subject
25.	地理	dìlǐ	n. geography
26.	采访	cǎifǎng	v. to interview
27.	利用	lìyòng	v. to utilize, to make use of
28.	空闲	kòngxián	adj. leisurely, free
29.	指导	zhǐdǎo	v. to guide, to instruct
30.	培训	péixùn	v. to train
31.	建设	jiànshè	v. to build, to construct

操心。不过，现在我们明白了，建设家乡，人人有责，我们也要承担这个义务。这个任务很艰巨，我们要尽自己最大的力量。"

　　郝琳硕觉得自己的收获远多于给孩子们的。"不管以后在哪儿，我都会继续用我的力量影响山里的孩子们，因为他们是国家的未来与希望。"

_____

改编自"美丽中国"（Teach For China）官网，题目自拟

32.	操心	cāo xīn v. to worry about, to be concerned about
33.	承担	chéngdān v. to undertake, to shoulder
34.	义务	yìwù　n. duty, obligation
35.	艰巨	jiānjù adj. arduous, formidable
36.	力量	lìliàng n. strength, capability
37.	收获	shōuhuò　n. gain

专有名词

1.	云南	Yúnnán Yunnan Province
2.	郝琳硕	Hǎo Línshuò Hao Linshuo, name of a person
3.	赵福根	Zhào Fúgēn Zhao Fugen, name of a person

注释（一）词语例释
Notes **1** 行动

　　"行动"，动词，表示行走，活动身体。例如：

（1）他运动时受伤了，行动不便。

（2）有些鸟类喜欢单独行动。

　　"行动"作为动词，也可以表示为了某种目的而进行某种活动。例如：

（3）做什么事他都喜欢提前行动，早做准备。

（4）有的人总是怀疑计划不够准确而迟迟不能开始行动。

　　"行动"也可以做名词，表示活动、行为。例如：

（5）郝老师到云南参加支教行动。

（6）我们应该勇敢面对困难，迅速采取行动，主动承担责任。

● 练一练：完成句子或对话

（1）A: 小赵呢？他今天怎么没来上班？

B: _____。（行动）

（2）A: 好久不见了，你最近在忙什么呢？

B: _____。（行动）

（3）_____，避免不必要的浪费。（行动）

2 义务

"义务"，名词，表示在法律上或道德上应负的责任。例如：

（1）不过，现在我们明白了，建设家乡，人人有责，我们也要承担这个义务。

（2）参与社会事务（shìwù, work, affair）和促进（cùjìn, to promote）社会进步是每个人的权利，也是每个人的义务和责任。

"义务"也可以做形容词，表示不收报酬的。例如：

（3）我们每个学期都要至少参加三次义务劳动。

（4）师范大学组织学生们去给打工子弟小学的孩子做义务家教。

● 练一练：完成句子或对话

（1）A: 父母对子女有哪些义务？

B: _____。

（2）学校有义务_____。

（3）A: _____？（义务－形容词）

B: 对，今天来参加演出的演员都不要钱。

（二）词语搭配

动词	+	宾语
有/获得/缺少		勇气
利用		工具/人/时间/条件
承担		责任/费用/任务

定语	+	中心语
经济/城市/学科		建设
艰巨（的）		任务
巨大/意外/学习上（的）		收获
中心语	+	补语
闯		入/进（去）/过（去）
采访		到/完
主语	+	谓语
性格/声音/动作		温柔
进步		很快/巨大

（三）词语辨析

■ 发言—发表

	发言	发表
共同点	都可以做动词，都与表达意见有关。	
不同点	1. 指在会议或课堂上说话。	1. 指向集体、社会正式说出自己的意见或在报刊上刊登（kāndēng, to publish in a newspaper or magazine）文章。
	如：他上课从不发言，很多课不及格，平时也几乎不和同学交往。	如：总统发表了有关两国关系的讲话。
	2. 可以做名词，指所发表的意见。	2. 不可以做名词。
	如：他今天在会上的发言很精彩。	
	3. 是离合词，中间可插入其他成分，后面不能再接宾语。	3. 不是离合词。
	如：你已经发过言了吗？	如：你发表过这篇文章吗？

● **做一做**：选词填空

		发言	发表
（1）我准备公开＿＿＿＿我的意见。		×	✓
（2）明天上课该轮到我＿＿＿＿了。			
（3）总裁，这是明天会议的＿＿＿＿，请您过目。			
（4）她年纪虽小，已经在杂志上＿＿＿＿过几首诗了。			

练习 **1** 选择合适的词语填空
Exercises

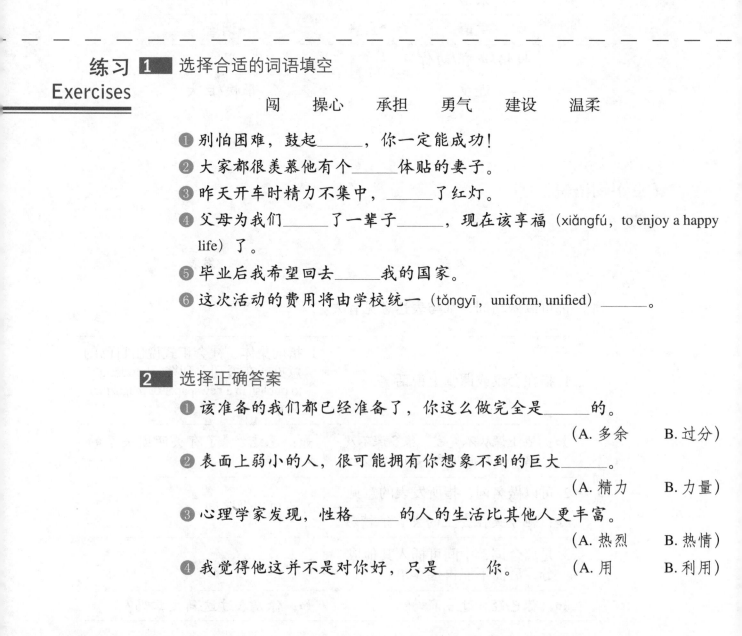

闯　操心　承担　勇气　建设　温柔

❶ 别怕困难，鼓起＿＿＿＿，你一定能成功！

❷ 大家都很羡慕他有个＿＿＿＿体贴的妻子。

❸ 昨天开车时精力不集中，＿＿＿＿了红灯。

❹ 父母为我们＿＿＿＿了一辈子＿＿＿＿，现在该享福（xiǎngfú，to enjoy a happy life）了。

❺ 毕业后我希望回去＿＿＿＿我的国家。

❻ 这次活动的费用将由学校统一（tǒngyī，uniform，unified）＿＿＿＿。

2 选择正确答案

❶ 该准备的我们都已经准备了，你这么做完全是＿＿＿＿的。

　　　　　　　　　　　　　　　　　　　　（A. 多余　　B. 过分）

❷ 表面上弱小的人，很可能拥有你想象不到的巨大＿＿＿＿。

　　　　　　　　　　　　　　　　　　　　（A. 精力　　B. 力量）

❸ 心理学家发现，性格＿＿＿＿的人的生活比其他人更丰富。

　　　　　　　　　　　　　　　　　　　　（A. 热烈　　B. 热情）

❹ 我觉得他这并不是对你好，只是＿＿＿＿你。　（A. 用　　B. 利用）

3 给括号里的词选择适当的位置

❶ 我都已经A安排B好了，你别C瞎D了！ （操心）

❷ 看了她的舞蹈，大家都A鼓B起C来D。 （掌）

❸ A他B下班后的C时间参加D专业培训。 （利用）

❹ 我会A最大的B力量C来D帮助你。 （尽）

4 根据下面的提示词复述课文内容

内容提示	重点词语	课文复述
赵福根的故事	发言、及格、家务、冠军、鼓掌、进步、题目	
研究型学习活动	闯、主题、采访、利用、操心、义务	
郝老师的想法	收获、力量	

扩展
xpansion

话题	HSK（五级）话题分类词语
教学2	测验（cèyàn）、实验（shíyàn）、抄（chāo）、试卷（shìjuàn）、夏令营（xiàlìngyíng）、操场（cāochǎng）、用功（yònggōng）、辅导（fǔdǎo）、收获（shōuhuò）、铃（líng）、退步（tuìbù）、改正（gǎizhèng）

● **做一做**：从上表中选择合适的词语填空

（1）暑假时很多中小学生去外地或外国参加_____，又可以旅游又可以交朋友。

（2）这是上次考试的_____，请大家认真看一看错在哪儿。

（3）我想请一个家教，下课后_____我学习汉语。

（4）预习生词时，我会把不认识的字_____三遍。

运用
Application

背景分析：

就像课文中所说，现在中国的很多农村、山村里，青壮年都出去打工闯世界了，只有老人和孩子留守在家中。根据新闻报道，2013年，中国农民工增至2.69亿，其中，有超过1.6亿人是在外地打工，而且大部分集中在经济比较发达的中国东部地区。这种现象引起了很多人的思考。

话题讨论：外出的农民工

1. 青壮年外出打工对农村可能产生什么影响？
2. 青壮年外出打工对城市可能产生什么影响？
3. 你认为，政府应该怎么帮助这些老人、孩子和农民工？

命题写作：

请以"大山的未来谁负责"为题，谈一谈你的看法。尽量用上本课所学的生词，字数不少于100字。

感受人生
Feelings about life

25

给自己加满水
Adding up the load on yourself

你听说过"有压力才会有动力"这句话吗？你是否同意这种观点？为什么？

2 请从生词中找出与上面图片内容有关的词语，写在下面的表格中。

形容词		动词		名词	
		返航			

课文
Text

给自己加满水 （624字） 🔘 25-1

有一位经验丰富的老船长，一次返航中，天气恶劣，他们的船遇到了可怕的巨大风浪。正当水手们慌张得不知如何是好时，老船长命令水手们立刻打开货舱，使劲儿朝里面放水。

生词 🔘 25-2

* 1. 返航　fǎnháng
　　v. to be on the homeward
　　voyage

　 2. 恶劣　èliè　adj. bad, vile

　 3. 可怕　kěpà　adj. terrible, dreadful

* 4. 风浪　fēnglàng
　　n. storm, stormy waves

　 5. 慌张　huāngzhāng
　　adj. flurried, flustered

* 6. 舱　cāng　n. cabin

　 7. 使劲（儿）　shǐ jìn (r)
　　v. to exert oneself, to make
　　efforts

　 8. 朝　cháo　prep. towards

"船长简直是疯了，这样做只会增加船的压力，船就会下沉得更快，这不是找死吗？"一个年轻的水手骂道。

看着船长严肃的表情，水手们还是照做了。随着货舱里的水位越升越高，船一点一点地下沉，狂风巨浪依然猛烈，对船的威胁却减小了，船也渐渐取得了平衡。

船长望着松了一口气的水手们说："几万吨的钢铁巨轮很少有被打翻的，被打翻的常常是根基很轻的小船。船在有一定重量的时候是最安全的，在空的时候则是最危险的。"

另一个相似的故事发生在某一著名风景区，那里有一段被当地人称为"鬼谷"的最危险的路段，山路非常窄，两边是万丈深渊。每当导游们带队来这里游览时，一定要让游客们背点或者拿点什么东西。

"这么危险的地方，我不拿东西两腿都发抖，再负重前行，那不是更容易摔倒吗？"一位妇女不解地问。

导游小姐解释道："这里以前发生过好几起意外，都是迷路的游客在丝毫没有感觉到压力的情况下，一不小心滚下去的。当地人每天都从这条路上背着东西来来往往，却从来没人出事。假如你感觉到了有风险，谨慎地负重前行，反而会更安全。"

这就是"压力效应"。那些胸怀理想、肩上有责任感的人，才能

9. 简直	jiǎnzhí adv. simply, virtually
*10. 沉	chén v. to sink
11. 严肃	yánsù adj. serious, solemn
*12. 猛烈	měngliè adj. strong, violent, fierce
13. 狂	kuáng adj. wildly, unrestrainedly
14. 威胁	wēixié v. to threaten
15. 平衡	pínghéng adj. balanced
16. 吨	dūn m. metric ton
17. 钢铁	gāngtiě n. steel
*18. 根基	gēnjī n. basis, foundation
19. 重量	zhòngliàng n. weight
20. 相似	xiāngsì adj. similar
21. 风景	fēngjǐng n. scenery, view
22. 窄	zhǎi adj. narrow
*23. 万丈	wànzhàng num.-m. lofty, bottomless
*24. 深渊	shēnyuān n. abyss, bottomless pit
25. 游览	yóulǎn v. to visit, to tour
26. 发抖	fādǒu v. to tremble, to shiver
*27. 负重	fùzhòng v. to bear a load or weight
28. 摔倒	shuāidǎo to fall down, to tumble
29. 妇女	fùnǚ n. woman
30. 起	qǐ m. case, instance
31. 丝毫	sīháo adj. slightest, at all
32. 滚	gǔn v. to roll, to tumble
33. 风险	fēngxiǎn n. risk
34. 谨慎	jǐnshèn adj. cautious, prudent
*35. 效应	xiàoyìng n. effect
36. 胸	xiōng n. chest, bosom

承受住压力，从历史的风雨中走过 "鬼谷"；而那些没有理想，没有一点压力，做一天和尚撞一天钟的人，就像一艘风暴中的空船，往往一场人生的狂风巨浪便会把他们彻底地打翻在地。

37. 承受	chéngshòu
	v. to bear, to endure
*38. 和尚	héshang
	n. (Buddhist) monk
*39. 钟	zhōng n. bell
40. 彻底	chèdǐ
	adj. thorough, complete

改编自《小故事大道理》，作者：汪胜战

注释（一）词语例释

Notes 1 朝

"朝"，动词，表示面对着、向。例如：

（1）我们学校的正门坐西朝东。

（2）我进去时，他正脸朝里和李主任商量着什么，没注意到我的到来。

"朝"也可以做介词，表示动作行为所指的方向。与"向"不同，它不能做补语。例如：

（3）……老船长命令水手们立刻打开货舱，使劲儿朝里面放水。

（4）我仿佛看到胜利正朝我们走来。

● **练一练：**完成句子或对话

（1）小林，我进你们家的小区了，你住的5号楼＿＿＿＿＿＿＿＿

＿＿＿＿＿＿＿＿＿＿＿＿＿＿＿＿＿＿＿？（朝）

（2）＿＿＿＿＿＿＿＿＿＿＿＿＿＿＿＿，别跟孩子发脾气。（朝）

（3）A: 请问，去国家图书馆＿＿＿＿＿＿＿＿＿＿＿？（朝）

B: 没错，大概过两个路口就到了。

2 简直

"简直"，副词，表示接近完全是这样但并非完全是这样。带有夸张、强调的语气。例如：

（1）听到刘方离婚的消息时，我简直不敢相信自己的耳朵。

（2）这次张小姐变得格外客气、礼貌，与从前相比，简直像换了个人。

（3）"船长简直是疯了，这样做只会增加船的压力，船就会下沉得更快，这不是找死吗？"

● **练一练**：完成句子或对话

（1）眼前的情景让在场的所有人都惊呆了，＿＿＿＿＿＿＿。 （简直）

（2）返城的车在高速路上排起几公里的长队，＿＿＿＿＿＿。 （简直）

（3）A: 今天，老板要跟我们商量下半年的计划，我得去一趟。

B: 你病成这样还要去上班，＿＿＿＿＿＿＿＿＿＿。 （简直）

（二）词语搭配

动词	+	宾语
承受		压力/重量/痛苦/寂寞/挑战
威胁		人类/安全/健康/和平/生命
定语	**+**	**中心语**
相似的		情况/爱好/观点/看法
恶劣的		天气/态度/关系/条件/影响/表现
状语	**+**	**中心语**
谨慎地		对待/处理/工作/从事/打开
彻底		放弃/检查/改正/改变/解决
中心语	**+**	**补语**
摔		倒/伤/碎/下去
承受		住/不起/得了
数量词	**+**	**中心语**
一吨		货物/钢铁/粮食
一起		意外
主语	**+**	**谓语**
表情/态度/气氛/内容		严肃
神情/表情/眼神/动作		慌张

（三）词语辨析

▓ 严肃—严格

	严肃	严格
共同点	都是形容词，都表示认真、不放松，但适用范围相差较大，不能替换。	
不同点	1. 强调在作风、态度等方面认真。	1. 表示在遵守制度或掌握（zhǎngwò，to master）标准时认真、不放松。
	如：小林这件事影响恶劣，我们对他一定要严肃批评。	如：小华妈妈，平时对孩子教育很严格。
	2. 表示神情、气氛等使人感到既尊重又害怕。	2. 没有这种意思。
	如：一句幽默的笑话可以让紧张严肃的气氛变得轻松愉快。	

● **做一做**：选词填空

	严肃	严格
（1）刘老师虽然看上去很_____，但其实对人很友善。	✓	×
（2）这是一个决定公司发展的重大问题，我们要高度重视，_____对待。		
（3）实验过程中，温度、水分等条件都要_____地控制。		
（4）每次读到这段历史都会让我_____地思考。		

练习 **1** 选择合适的词语填空
Exercises

风险　　谨慎　　平衡　　威胁　　简直　　恶劣

❶ 对这种行为_____的队员只能让他离开球队。

❷ 在人口压力面前，经济发展、社会进步都受到了巨大_____。

❸ 这毕竟是高考择校，我们必须_____对待。

❹ 初学骑自行车最重要的是注意保持_____。

❺ 你决定在海外投资，有没有考虑到_____？

❻ 昨晚的比赛太精彩了，林丹_____太厉害了！

2 选择正确答案

❶ 不是你努力得不够，_____是努力的方向错了。

(A. 可怕　　B. 恐怕)

❷ 李岩之所以那么_____地返回北京，是因为得知了这个坏消息。

(A. 慌张　　B. 紧张)

❸ 你的病好得不_____，还应该再休息几天。 (A. 彻底　　B. 完全)

❹ 我实在不敢_____这么贵重的礼物。 (A. 承受　　B. 接受)

3 画线连接可以搭配的词语

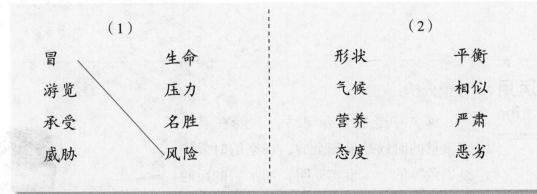

	（1）			（2）	
冒		生命		形状	平衡
游览		压力		气候	相似
承受		名胜		营养	严肃
威胁		风险		态度	恶劣

4 根据下面的提示词复述课文内容

内容提示	重点词语	课文复述
返航途中遇险的经历	恶劣、风浪、慌张、沉、威胁、平衡、翻	
"鬼谷"的故事	窄、游览、发抖、摔、滚、风险、谨慎、安全	
压力效应	责任感、承受、压力	

话题	HSK（五级）话题分类词语
度量（dùliáng，measure）单位	厘米（límǐ）、克（kè）、平方（píngfāng）、吨（dūn）
学习用具	尺子（chǐzi）、胶水（jiāoshuǐ）、文具（wénjù）

● **做一做**：从上表中选择合适的词语填空

（1）你这儿有_____吗？报名表上要贴张照片。

（2）这些_____是寄到地震灾区（zāiqū, disaster area）给那里的孩子们用的。

（3）新城的街区就像用_____画出的格子一样的整齐。

（4）这个最小的房间只有12个_____，我想当作书房。

背景分析：

　　课文中老船长有句话，"船在有一定重量的时候是最安全的，在空的时候则是最危险的"。事实证明，加水后的巨轮最终承受住了风浪的考验（kǎoyàn, test, trial）。你怎么理解这句话呢？

　　人的一生也会遇到许多压力和挑战。如果把人生比作这艘船，在人生的旅途中，我们应该给自己加点什么呢？学业、事业、理想，还有亲人、朋友、爱好、健康、快乐……太多的目标，也就难免有太多的责任和压力。你该如何面对呢？

话题讨论：如何面对压力

1.目前，你遇到的最大的压力来自哪方面？说说你的情况？

2.你觉得压力给你带来了什么影响？有什么好处和坏处？

3.如果你觉得压力过大时，你有什么好的减轻压力的办法吗？

命题写作：

　　请以"我喜欢/不喜欢压力"为题，谈一谈你的看法。尽量用上本课所学的生词，字数不少于100字。

26 你属于哪一种"忙"

Which kind of "busy" person are you

你觉得这幅图片想告诉我们什么？说说你对这幅图片的理解。

2 请试着找出本课跟"出行"有关的词语，写在下面的横线上，并说说这些词之间有什么关系。

本课生词中的：＿＿＿＿ ＿＿＿＿

其他你知道的： 行李 ＿＿＿ ＿＿＿ ＿＿＿

课文
Text

你属于哪一种"忙" （731字） 26-1

　　工作中的忙碌大概可以分为三种：第一种忙，忙得很被动，总是被事情追着、赶着，人几乎成了工作的奴隶；第二种忙，忙得很主动，忙而不乱，人是工作的主人；第三种忙，忙得有些虚伪，因为在他们的思想中，已经把忙与成功、闲与失败联系到一起，所以，这样的人总是想办法让自己忙。

　　你属于哪种忙呢？

　　我有一个体会：现实中，我们不一定知道正确的道路是什么，但时时反省、总结，却可以使我们不会在错误的道路上走得太远。

生词 26-2

* 1. 忙碌　mánglù
　　　adj. busy, fully occupied

* 2. 被动　bèidòng　adj. passive

* 3. 奴隶　núlì　n. slave

* 4. 虚伪　xūwěi　adj. hypocritical

5. 思想　sīxiǎng　n. thought, thinking

* 6. 反省　fǎnxǐng
　　　v. to reflect on oneself,
　　　to self-examine

据说，曾经有一位很有个性、极爱冒险的大导演到南美丛林拍有关古代印加文明的纪录片。他雇了20来个当地人为他带路和搬运行李。这批当地人个个都表现出色，尽管他们背着重重的行李，但他们的脚力过人，健步如飞。一连三天，他们都很顺利地实现了原定的计划。到了第四天，大导演一早醒来就催着大家上路。然而，当地人却拒绝行动。大导演非常着急，一来，耽误了时间，日程就得重新安排；二来，会因为费用增加而让投资人不高兴，至于这部影片的投资人，可是一位大人物，他可不敢得罪。经过沟通，大导演总算搞明白了，当地人自古就有一种习俗：在赶路时，用尽全力地向前冲，但每走上三天，便要休息一天。当大导演进一步询问原因时，当地人的回答令他受益终生。

7.	据说	jùshuō
		v. it is said, reputedly
8.	个性	gèxìng
		n. individual character, personality
9.	冒险	mào xiǎn
		v. to venture, to have an adventure
*10.	丛林	cónglín n. jungle, forest
11.	文明	wénmíng n. civilization
12.	纪录	jìlù
		n./v. record, note; to record, to note down
*13.	雇	gù v. to employ, to hire
*14.	来	lái
		part. *used after round numbers to indicate approximation*
15.	批	pī m. group, batch
16.	出色	chūsè
		adj. remarkable, outstanding
*17.	健步如飞	jiànbù-rúfēi
		to walk as if on wings
*18.	一连	yìlián
		adv. in a row, in succession
19.	耽误	dānwù
		v. to delay, to spoil through delay
20.	至于	zhìyú prep. as for, as to
21.	投资	tóu zī v. to invest, to fund
22.	人物	rénwù n. figure, personage
*23.	得罪	dézuì
		v. to offend, to displease
24.	总算	zǒngsuàn adv. at last, finally
25.	搞	gǎo
		v. *(followed by a complement)* to produce a certain effect or result
*26.	习俗	xísú n. custom, convention

"那是为了让我们的灵魂，能够追得上我们赶了三天路的疲劳的身体。"

多么富有哲理的话！在这个提倡和鼓励竞争的时代，我们常常只顾低头拉车，却少了抬头看路，少了思考、总结这一重要的步骤。

从20世纪80年代起，比尔·盖茨每年都要进行两次为期一周的"闭关"。在这一周的时间里，他会把自己关在一所房子里，包括家人在内的任何人他都一律不见，使自己完全不受日常工作的打扰。盖茨的这种令人寂寞难耐的"闭关"不只是一种休息方式，更是一种高效率的工作方式。

忙碌的人们，请多给自己一点思考的时间吧。

改编自《青年参考》，作者：毛尧飞、杨立军

*27. 灵魂	línghún	n. soul, spirit
28. 疲劳	píláo	adj. tired, fatigued
*29. 哲理	zhélǐ	n. philosophy
30. 提倡	tíchàng	v. to advocate, to encourage
31. 步骤	bùzhòu	n. step, procedure
*32. 闭关	bìguān	v. to stay secluded (a Taoist practice)
33. 一律	yílǜ	adv. all, without exception
34. 寂寞	jìmò	adj. lonely
35. 效率	xiàolǜ	n. efficiency

专有名词

1. 印加　Yìnjiā　Inca Empire, the largest empire in pre-Columbian America
2. 比尔·盖茨　Bǐ'ěr Gàicí　Bill Gates

注释（一）词语例释
Notes 1 来

"来"，助词，用在"十、百、千"等数词或数量词后表示概数。例如：

（1）他雇了20来个当地人为他带路和搬运行李。

（2）按照老人教的方法，他几乎每天都能钓到5斤来重的大鱼。

"来"还可以用在"一、二、三"等数词后，构成"一来……，二来……"这样的结构，表示列出理由。例如：

（3）今天是大年三十，我们来看看大家，一来是给大家送水果，二来是看看大家过节还有什么难处。

（4）我对上海很有感情，一来上大学时在那里住过几年，二来我太太也是上海人。

● 练一练：完成句子或对话

（1）这所学校是小班上课，每个班＿＿＿＿＿＿＿＿＿＿＿＿＿＿。（来）

（2）四川好玩儿的地方可多了，去旅游 ＿＿＿＿＿＿＿＿＿＿＿。（来）

（3）A: 你下班走路回家？为什么不坐车呢？

　　 B: ＿＿＿＿＿＿＿＿＿＿＿＿＿＿＿＿＿。（一来……，二来……）

2 至于

"至于"，动词，表示达到某种程度，多用于反问句。例如：

（1）我只是和你开个玩笑，你至于生那么大的气吗？

（2）什么？一件衬衫要一千来块钱。哪至于那么贵呢？

"至于"也可以做介词，用在"（A）……，至于（B）……"结构中表示另提一事。例如：

（3）……至于这部影片的投资人，可是一位大人物，他可不敢得罪。

（4）我只知道他是六班的学生，至于住在哪儿，我就不清楚了。

● 练一练：完成句子或对话

（1）我只记得他说过要去买礼物，＿＿＿＿＿＿＿＿＿＿＿。（至于）

（2）我刚毕业，现在最重要的是找到工作，＿＿＿＿＿＿＿。（至于）

（3）A: 听说李阳病了，明天的活动他恐怕参加不了了。

　　 B: ＿＿＿＿＿＿＿＿＿＿＿＿＿＿＿＿＿。（至于）

3 总算

"总算"，副词，表示经过相当长的时间以后某种愿望终于实现。例如：

（1）经过沟通，大导演总算搞明白了，……

（2）总算把活儿干完了，可把我累坏了。

"总算"，还可以表示大体上还过得去。例如：

（3）虽然我对这家宾馆不太满意，但总算有个睡觉的地方了。

（4）临走前能和你见上一面，这趟总算没有白来！

● 练一练：完成句子或对话

（1）_____，其实他没回老家，

一直在这里打工。 （总算）

（2）A: 李强的咖啡馆准备了半年，又是装修，又是办各种手续，真不

容易。

B: 是啊！_____。 （总算）

（3）A: 琳琳这次化学考了78分，比期中考试提高了10分呢。

B: 化学是她最头疼的科目了，_____。 （总算）

（二）词语搭配

动词	+	宾语
提倡		科学/戒烟/对话/节约/诚实/平等
耽误		工作/时间/孩子/生产/休息/约会/看病
定语	**+**	**中心语**
寂寞的		朋友/年代/感觉/心情
出色的		人物/医生/成绩/表现
状语	**+**	**中心语**
大力/积极（地）		提倡
长期（地）/纷纷/大胆（地）		投资
中心语	**+**	**补语**
算		不清/不出/得上/不了
搞		错/成/出来/得准确
数量词	**+**	**名词**
一部		纪录片
一批		货/学生

（三）词语辨析

■■ 总算—终于

	总算	终于
共同点	都是副词，都有表示经过较长时间的变化或等待以后出现了某种情况的意思。	
	如：这青年后来努力学艺，总算/终于有了一点儿小名气。	
不同点	1.事情的结果一般都是希望发生的情况。	1.事情的结果多是希望发生的情况，但还可以是不如意的情况。
	如：到北京的第二年，我总算找到了一份比较满意的工作。	如：尽管他也很想去，但他终于还是放弃了留学的打算。
	2.还可以表示大体上还过得去。	2.没有这个意思和用法。
	如：他才学了半年外语，能说成这样，总算不错了。	

● **做一做**：选词填空

	总算	终于
（1）他多次想告诉她，但_____没说出口。	×	✓
（2）可让我担心的事_____还是发生了。		
（3）整整一个星期没出门，我_____把这几本厚厚的书读完了。		
（4）听了李阳这些话后，妈妈_____有点放心了。		

练习 1 选择合适的词语填空

Exercises

寂寞　　至于　　耽误　　提倡　　一律　　出色

❶ 现在饭馆都_____节约，不浪费食物，"光盘"的意思就是把点的菜吃光。

❷ 上次约刘经理见面，路上堵车，_____了很长时间，这次可别再出问题了。

❸ 按规定，小动物_____不准带上飞机。

④ 她有些_____，想让我到她那儿陪她聊聊天。

⑤ 他顶住了压力，_____地发挥了自己的水平，打败了强敌。

⑥ 你们两口子吵架归吵架，不_____要闹离婚吧？

2 选择正确答案

① 为了保证病人的休息，午饭后_____不准探视（tànshì, to visit）。

（A. 一律　B. 都）

② 你怎么_____的？不是说好了周末和小丽见面的吗？怎么又不去了？

（A. 搞　B. 做）

③ 因为有大雾，飞机不能起飞。_____了您的宝贵时间，非常抱歉！

（A. 耽误　B. 影响）

④ 马向阳在那儿当县长时，_____地完成了任务。　（A. 出色　B. 优秀）

3 给括号里的词选择适当的位置

① 看到房间满是灰尘，他发起A了愁，刚B坐了十C个D小时火车，实在没力气收拾了。　（来）

② 我A找刘明天来B当导演，其实是C有点儿D的。　（冒险）

③ A按学校B规定，缺课60节以上的学生C不允许D参加考试。　（一律）

④ 小丽A地完成了B比赛的各项动作，C取得了第一名D的好成绩。（出色）

4 根据下面的提示词复述课文内容

内容提示	重点词语	课文复述
三种"忙"	被动、奴隶、主动、虚伪	
大导演的拍摄经历	纪录片、雇、出色、一连、耽误、投资、沟通、灵魂	
比尔·盖茨的"闭关"	为期、一律、寂寞、效率、思考	

话题	HSK（五级）话题分类词语
社会关系	演讲（yǎnjiǎng）、发言（fāyán）、宴会（yànhuì）、嘉宾（jiābīn）、证件（zhèngjiàn）、名片（míngpiàn）
婚恋	嫁（jià）、娶（qǔ）、分手（fēn shǒu）、怀孕（huái yùn）、吻（wěn）

扩展
Expansion

● **做一做**：从上表中选择合适的词语填空

（1）这是我的_____，我们保持联系，希望将来有机会一起合作。

（2）明天，希望公司的总裁刘明先生来学校_____，你想去听听吗？

（3）老师，请问我报名时，都需要带什么_____啊？

（4）出席开幕式的_____都联系好了。

运用
Application

背景分析：

　　学会思考，是一个人成熟的标志。思考，让我们透过（tòuguò，through）现象，弄清事情的本质，发现工作中存在的问题，找到最好的工作方法；思考，让我们少走弯路（wānlù，detour），有比较、有选择地处理和解决问题，以较小的付出，换来最理想的效果；思考，让我们分清主次、突出重点，做到有的放矢。如果我们能够做到冷静思考、善于思考，相信你一定会更容易成功。

话题讨论：学会思考

　1.你是一个平时爱思考的人吗？当你遇到不顺利的情况时，你通常会怎么做？

　2.请以学习或工作中一次经历为例，说说思考对你有哪些帮助。

　3.思考和行动，两者哪个更重要？你怎么看这个问题？

命题写作：

　　请以"认真思考，轻松生活"为题，谈一谈你是如何面对生活中遇到的各种困难的。尽量用上本课所学的生词，字数不少于100字。

下棋
Playing chess

热身 **1**
Warm-up

下图中的棋类，你认识多少？请说一说它们的名称。除了这些以外，你还知道其他棋牌运动吗？

棋牌类运动：_____ _____ _____ _____

2　请问问你的同学或朋友，他们会哪种或哪些棋牌运动？如果举行相关的活动，他们是否愿意参加？

国籍	会玩的棋牌运动	学的时间或水平	是否愿意参加活动

课文 下棋 （704字） 27-1
Text

　　我父亲是一位象棋教练。那一年，我大学放假回家，父亲要跟我下棋，我高兴地答应了。

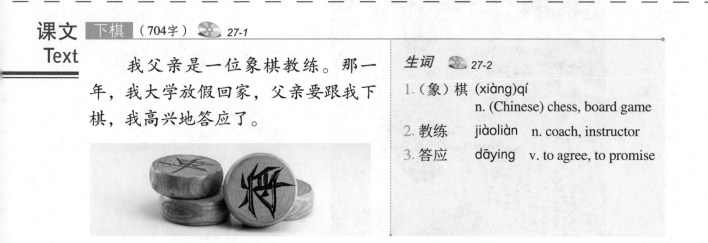

生词 27-2

1.（象）棋 (xiàng)qí
　　　n. (Chinese) chess, board game
2. 教练　jiàoliàn　n. coach, instructor
3. 答应　dāying　v. to agree, to promise

父亲让我先走三步。不到三分钟，我的棋子损失大半，棋盘上空空的，只剩下几个子了。没办法，眼睁睁看着父亲"将军"，我输了。

我不服气，说："这次运气不好，再来！"第二局又输了，"这次没发挥好，我们再来"！几局下来，基本上都是不到10分钟我就败下阵来。我有些灰心。父亲看看我说："你初学棋，输是正常的。但是你要知道输在什么地方，要吸取教训。否则，你就再下上10年，也未必能赢。"

"我知道，我技术没你好，经验也不足。"

"这只是次要因素，不是最重要的。"

"那最重要的是什么？"我奇怪地问。

4.	损失	sǔnshī	v. to lose
5.	睁	zhēng	v. to open (one's eyes)
	眼睁睁	yǎnzhēngzhēng	adj. (looking on) helplessly or indifferently
*6.	将军	jiāngjūn	n./v. (military) general; (in chess) to put one's king/general in check
*7.	服气	fúqì	v. to be convinced, to be won over
8.	运气	yùnqi	n. luck, fortune
*9.	局	jú	m. game, set
10.	发挥	fāhuī	v. to bring into play, to give rein to
11.	灰心	huīxīn	adj. discouraged
12.	吸取	xīqǔ	v. to absorb, to draw
13.	教训	jiàoxùn	n. lesson, moral
14.	未必	wèibì	adv. may not, not necessarily
15.	次要	cìyào	adj. less important, secondary
16.	因素	yīnsù	n. factor

"最重要的问题在于你心态不对。你不够珍惜你的棋子。"

"怎么不珍惜呀？我每走一步，都想半天。"我否认说。

"那是后来。开始你是这样吗？我仔细观察过，你三分之二的棋子是在前三分之一的时间失去的。这期间你好像很有把握，下棋时不假思索，拿起来就走，失去了也不觉得可惜。因为你觉得棋子很多，失一两个不算什么。后三分之二的时间，你又犯了相反的错误：对棋子过于珍惜，每走一步都过于谨慎，一个棋子也不想失，反而一个一个都失去了。"

说到这，父亲停下来，把棋子重新在棋盘上摆好，抬起头，看着我，问："这是一盘待下的棋。我问你，下棋的基本原则是什么？"

我想也没想，脱口而出："赢啊！"

"那是目的。"父亲用责备的眼光看了我一眼，"至于原则，是要考虑得失。有得必然有失，有失才会有得。每走一步，你事先都应该想清楚：为了赢得什么，你愿意失去什么，这样才可能赢。可惜，大部分人都像你这样，开始不考虑得失，等到后来失去得多了，又开始舍不得，后果就是屡下屡败。其实不仅是下棋，人生也是如此啊！"

17.	在于	zàiyú
		v. to lie in, to consist in
*18.	心态	xīntài
		n. psychology, mental attitude
19.	珍惜	zhēnxī
		v. to cherish, to treasure
20.	否认	fǒurèn
		v. to deny, to disavow
21.	观察	guānchá
		v. to observe, to watch
22.	失去	shīqù v. to lose
23.	期间	qījiān n. time, period
24.	把握	bǎwò
		n. assurance, confidence
*25.	不假思索	bùjiǎ-sīsuǒ
		without thinking or hesitation
*26.	犯	fàn
		v. to commit (an error, a crime, etc.)
*27.	过于	guòyú
		adv. too, excessively
28.	原则	yuánzé
		n. principle, tenet
29.	责备	zébèi
		v. to blame, to reproach
30.	必然	bìrán
		adj. inevitable, certain
31.	事先	shìxiān
		n. beforehand, in advance
32.	舍不得	shěbude
		v. to be unwilling to part with or give up, to grudge
33.	后果	hòuguǒ
		n. consequence, aftermath
*34.	屡	lǚ
		adv. repeatedly, time and again

改编自《今日中学生》，作者：林夕

注释（一）词语例释

Notes 1　动词 +下来

"动词+下来"表示完成，有时兼有脱离或固定的意思。例如：

（1）你的论文大概什么时候发表？定下来了吗？

（2）你看，那张纸是从这本书里撕（sī, to tear, to rip）下来的。

（3）几局下来，基本上都是不到10分钟我就败下阵来。

● 练一练：完成句子或对话

（1）房间里太热了，＿＿＿＿＿＿＿＿＿＿＿＿＿＿＿＿＿＿。（动词+下来）

（2）这套房子不错，＿＿＿＿＿＿＿＿＿＿＿＿＿＿＿＿＿。（动词+下来）

（3）A: 为什么你跟他们说话的时候要带个录音机呢？

　　B: ＿＿＿＿＿＿＿＿＿＿＿＿＿＿＿＿＿＿＿＿＿。（动词+下来）

2　舍不得

"舍不得"，动词，表示不愿意放弃、花费或使用。肯定式"舍得"常用于问句或回答、比较。例如：

（1）把你最喜欢的玩具送给小朋友，你舍得吗？

（2）有些人对于把钱花在为家庭和自己的生活增加乐趣的事情上，总是有些舍不得。

（3）可惜，大部分人都像你这样，开始不考虑得失，等到后来失去得多了，又开始舍不得，后果就是屡下屡败。

● 练一练：完成句子或对话

（1）A: 这么好的工作，你怎么舍得辞职？！

　　B: ＿＿＿＿＿＿＿＿＿＿＿＿＿＿＿＿＿＿＿。（舍不得）

（2）买了件新衣服舍不得穿，结果＿＿＿＿＿＿＿＿＿＿＿＿。

（3）A: 我们真的要花这么多钱去做新产品的推广吗？

　　B: ＿＿＿＿＿＿＿＿＿＿＿＿＿＿＿＿＿＿＿。（舍不得）

（二）词语搭配

动词	+	宾语
接受/总结/吸取		教训
珍惜		时间/现在/朋友/生命
定语	**+**	**中心语**
重要/决定（性）/关键		因素
严重（的）		后果
状语	**+**	**中心语**
认真/仔细（地）		观察
充分/尽情（地）		发挥
中心语	**+**	**补语**
睁		开/大
把握		好/住
数量词	**+**	**名词**
一盘/局		棋
一个/条		原则

（三）词语辨析

■ 损失—失去

	损失	失去
共同点	都可以做动词，都有原来有而后来没有了的意思。	
	如：每走一步，你事先都应该想清楚：为了赢得什么，你愿意损失/失去什么，这样才可能赢。	
不同点	1. 表示减少。	1. 一般指完全没有。
	如：不到三分钟，我的棋子损失大半。	如：战争让他失去了家庭。
	2. 可以做名词。	2. 不可以做名词。
	如：公司会赔偿（péicháng, to compensate）我们的损失。	

● 做一做：选词填空

		损失	失去
（1）生意失败，他_____了很多钱。		✓	✗
（2）因为一场病，他_____了记忆。			
（3）要珍惜时间，因为_____的时间永远都不会再回来。			
（4）这次火灾造成了巨大的_____。			

练习 Exercises

1 选择合适的词语填空

把握　发挥　观察　教训　因素　眼睁睁

❶ 吸取_____才能避免以后再次发生同样的问题。

❷ 工作压力太大、不能兼顾（jiāngù, to give consideration to two or more things）工作和家庭是影响幸福感的重要_____。

❸ 希望你在比赛中_____好，赛出好成绩！

❹ 只有做好准备的人才能_____住机会。

❺ 你就这样_____地看着他摔倒了？！

❻ 仔细_____周围的大自然，你会发现很多有意思的东西。

2 选择正确答案

❶ 这几次考试我都考得不太好，觉得有点儿_____。（A. 灰心　　B. 死心）

❷ 在国外工作_____，我一直很想念我的家乡和家人。

（A. 时期　　B. 期间）

❸ 如果有变动，请_____24小时告诉我。　　　　（A. 事先　　B. 提前）

❹ 你要想清楚，这样做的_____很严重！　　　　（A. 后果　　B. 结果）

3 给括号里的词选择适当的位置

❶ 你A说得这么复杂，我B觉得他C能D听懂。　　　　　　　　　　（未必）

❷ A我看，老板没有糟糕的，B关键C你D怎样去和他沟通。　　　（在于）

❸ 在很多A家庭中，夫妻B同时C工作并D做家务。　　　　　　　（双方）

❹ 开始学滑雪A的时候，我花了很长时间B学习C怎样停D。　　　（下来）

4 根据下面的提示词复述课文内容

内容提示	重点词语	课文复述
父亲与我下棋	教练、答应、损失、眼睁睁、灰心	
输的原因	吸取、未必、因素、在于、否认、观察、失去、把握	
下棋与人生	原则、必然、事先、舍不得、后果	

扩展
Expansion

话题	HSK（五级）话题分类词语
家居2	夹子（jiāzi）、梳子（shūzi）、肥皂（féizào）、扇子（shànzi）、剪刀（jiǎndāo）、绳子（shéngzi）、锁（suǒ）、叉子（chāzi）、锅（guō）、壶（hú）、盆（pén）、火柴（huǒchái）

● **做一做**：从上表中选择合适的词语填空

（1）这份文件有好几页，拿个_____夹一下吧，别丢了。

（2）一把钥匙开一把_____。

（3）中国人吃饭习惯用筷子，西方人吃饭习惯用刀和_____。

（4）周末的下午，坐在阳光下，喝_____茶，感觉很舒服。

背景分析：

中国人常常把下棋和人生相比较，说"人生如棋"。这句话可以解释成很多意思，比如：人生就像下棋一样，要有全局观念，不能只看一时一地的情况，要考虑得全面，照顾到全局；或者人生就像下棋一样，一步走错，可能会造成很大的影响；还有人说人生就像下棋一样，必须遵守游戏规则……

话题讨论：**人生如棋**

1. 课文中父亲是怎样教育孩子的？
2. 你同意父亲的观点吗？
3. 你对于"得""失"有什么看法？

命题写作：

请以"得与失"为题，谈一谈你的看法。尽量用上本课所学的生词，字数不少于100字。

关注经济
Focusing on economy

28 最受欢迎的毕业生
The most popular graduate

请看下面的图片，试着说出你知道的跟学历有关的词汇。

学前班

2 如果你是一家公司的老板，需要招聘一名旅游体验师，你对这个职位有什么样的要求？你会对应聘者提出哪些问题？

课文 最受欢迎的毕业生 （673字） 📀 28-1
Text

他叫刘辰，是一个年仅23岁的应届本科毕业生，再过一个月就要毕业了。面对并不乐观的就业形势，他压力很大："说实话，我觉得自己实在没什么优势。"

就在他为工作发愁时，机会来了。天津卫视的《非你莫属》节目组

生词 📀 28-2

1. 届 jiè m. session, year, class
2. 本科 běnkē n. undergraduate education
3. 面对 miànduì v. to face, to confront
4. 乐观 lèguān adj. optimistic
*5. 就业 jiù yè v. to find employment
6. 实话 shíhuà n. truth, true words
7. 优势 yōushì n. superiority, advantage

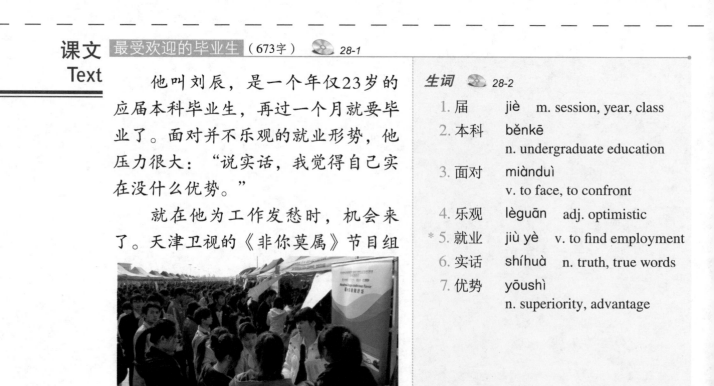

看了他的简历，接受了他的申请，他可以到节目现场去求职。来到现场，他发现，果然有一家公司有适合他的职位——旅游体验师。因为小学六年级的时候，他迷上了公交车，从此，就一直关注公交线路，北京市范围内所有的公交线路他都了如指掌。从上初中起，他就是同学们的出行顾问，无论谁想去哪里，他都能很快地回答出最方便的路线，提供给同学们参考。在他的成长过程中，公交就是他最好的伙伴。

节目制作时，电视台问他有什么才艺，他便说："我是个公交迷，对北京市的公交、地铁线路都有一些研究。"主持人现场考他："假设我要从国贸到鼓楼大街，该怎么乘车？"他反应得非常快，马上回答说："在国贸坐1路车，到天安门东，换乘82路，就可以到达。"他的回答让台上的12位老板都兴奋了起来，他们开始陆续向他提问。他有问必答，不但准确无误地按顺序报了一大堆公交车、地铁站的名字，而且还给一对情侣制订了北京休闲一日游的具体方案。

他对公交的这种专注显然为他的求职打开了大门。老总们向他发出了热情的邀请，给他非常好的职位和待遇，甚至要专门为他成立有关的部门，只为留住这个人才。最终，他选择了一家他感兴趣的单位。

8.	简历	jiǎnlì	n. resume, CV
* 9.	现场	xiànchǎng	n. site, spot
* 10.	职位	zhíwèi	n. position, post
11.	体验	tǐyàn	v. to feel and experience
12.	从此	cóngcǐ	adv. from then on, since then
13.	范围	fànwéi	n. scope, range
14.	初（级）中（学）	chū (jí) zhōng (xué)	n. junior high school
* 15.	顾问	gùwèn	n. consultant, adviser
16.	参考	cānkǎo	v. to consult, to refer to
17.	成长	chéngzhǎng	v. to grow up
18.	制作	zhìzuò	v. to make, to produce
* 19.	才艺	cáiyì	n. talent and skill
20.	假设	jiǎshè	v. to suppose, to assume
* 21.	乘	chéng	v. to ride, to travel by
22.	反应	fǎnyìng	v. to respond, to react
23.	到达	dàodá	v. to reach, to arrive
24.	老板	lǎobǎn	n. boss, employer
25.	陆续	lùxù	adv. one after another, in succession
26.	提问	tíwèn	v. to ask a question
27.	堆	duī	m. heap, pack, pile
* 28.	情侣	qínglǚ	n. couple, lovers
* 29.	制订	zhìdìng	v. to make, to draw up, to work out
30.	休闲	xiūxián	v. to have leisure, to relax
31.	具体	jùtǐ	adj. specific, detailed
* 32.	专注	zhuānzhù	adj. concentrated, engrossed
33.	显然	xiǎnrán	adj. obvious, evident
34.	成立	chénglì	v. to establish, to set up
35.	部门	bùmén	n. department, section

主持人问这家公司的老总："你给的工资是不是太高了？"这个老总回答："专业的、执着的、优秀的人才是无价的，这样的人一定会有光明的前途。"是的，无论在哪个行业，最缺乏的永远都是专注的人。专注的人永远不缺机会！

改编自《年轻人》，作者：张宏生

*36. 执着	zhízhuó
	adj. persistent, persevering
37. 光明	guāngmíng
	adj. bright, promising
38. 前途	qiántú n. future, prospect
39. 行业	hángyè
	n. trade, profession, industry
40. 缺乏	quēfá
	v. to lack, to be short of

专有名词

1. 刘辰	Liú Chén	Liu Chen, name of a person
2. 天津卫视	Tiānjīn Wèishì	Tianjin TV, a television channel
3.《非你莫属》	Fēinǐmòshǔ	*Only You*, a job-hunting reality show
4. 国贸	Guómào	Guomao, the central business district of Beijing
5. 鼓楼大街	Gǔlóu Dàjiē	Gulou Street, literally "Old Drum Tower Street"
6. 天安门东	Tiān'ānmén Dōng	Tian'anmen East Station

注释（一）词语例释
Notes 1 从此

"从此"，副词，表示从这时候或所说的时候起。例如：

（1）李白听了老婆婆的话，很受感动。从此他刻苦用功，最后成了一位伟大的诗人。

（2）因为小学六年级的时候，他迷上了公交车，从此，他就一直关注公交线路，……

（3）嫦娥（Cháng'é）自己吃下了不死药，结果她飞到了月亮上，从此与后羿（Hòuyì）分离。

● **练一练**：完成句子或对话

（1）他是十年前来的中国，_____。（从此）

（2）A: 你跟原来的同屋还有联系吗？

B:_____。（从此）

（3）医生说他体重过重，营养过剩，_____。（从此）

2 假设

"假设"，动词，表示把某种情况当成真的。例如：

（1）假设我要从国贸到鼓楼大街，该怎么乘车？

（2）假设汽水两块钱一瓶，两个空瓶可以换一瓶汽水，如果给你6块钱，你最多能喝几瓶汽水？

"假设"也可以做名词，表示设想的情况。例如：

（3）您当年的假设已经被证明是对的。

（4）这是一种大胆的假设，但不一定是科学的。

● **练一练**：完成句子或对话

（1）假设他说的是真话，_____。

（2）A: 马上就要毕业了，你有什么想法？

B:_____。（假设-动词）

（3）关于这个问题 _____。（假设-名词）

3 堆

"堆"，量词，用于成堆的东西或人（不能用于所尊敬的人）。例如：

（1）他有问必答，不但准确无误地按顺序报了一大堆公交车、地铁站的名字，而且还给一对情侣制订了北京休闲一日游的具体方案。

（2）一个小师弟结婚才半年，就跑过来找我诉苦，说妻子几乎每天都要挑出他一大堆毛病：饭后不洗碗、睡前不洗脚……

"堆"也可以做动词，表示用手或工具把东西聚在一起。例如：

（3）这些零件怎么都堆在这儿啊？

（4）今年真不错！你看这粮食，都堆成山了。

"堆"还可以做名词，表示堆在一起的东西。例如：

（5）工厂旁边有一个建筑材料堆。

（6）叔叔把手指上的金戒指取了下来，扔到石头堆里。

● 练一练：完成句子或对话

（1）下雪了，＿＿＿＿＿＿＿＿＿＿＿＿＿＿＿＿。 （堆－动词）

（2）A: 你知道我上个星期买的那本书可能放在哪儿了吗？

B: ＿＿＿＿＿＿＿＿＿＿＿＿＿＿＿＿。 （堆－名词）

（3）A: 那边怎么有一堆人围在那儿？

B: 可能是＿＿＿＿＿＿＿＿＿＿＿＿＿＿。

（二）词语搭配

动词	+	宾语
有/占/突出/失去		优势
体验		生活/快乐/新产品
划/限制/扩大		范围
制作		玩具/乐器
缺乏		锻炼/睡眠/信心
状语	**+**	**中心语**
陆续/陆陆续续（地）		进来/回去/出来/出去
具体（地）		说/看/分析
数量词	**+**	**名词**
一届		学生/会议
一份		简历/报纸/答案

（三）词语辨析

■ 反应—反映

	反应	反映
共同点	同音，都既可做动词又可做名词。	
不同点	1. 动词指受到外界（wàijiè, the outside world）刺激而做出行动或变化；名词指这些行动或变化。	1. 把情况或意见报告给上级。
	如：这时人体精力下降，反应减慢，情绪低下，利于人体进入甜美的梦乡。	如：请放心，我会把你的意见反映给学校。
	2. 没有其他意思。	2. 还可以指把事物的本质表现出来。
		如：谈话可以反映一个人的职业特点。
	3. 不可搭配宾语。	3. 可搭配宾语。
	如：他反应得非常快，一点儿也不用思考。	如：这个电影反映了中国年轻一代的新变化。

● 做一做：选词填空

	反应	反映
（1）那两只羊看见青草后是什么_____？	✓	×
（2）他这么做，_____出他的思想还不太成熟。		
（3）他脑子_____得很快，马上找到了问题的关键。		
（4）小王，大家_____你最近常迟到。家里有什么问题吗？		

练习 1 选择合适的词语填空
Exercises

参考　范围　具体　乐观　陆续　显然

❶ 因为天气影响，我们的活动推迟了，_____时间再等通知。

❷ 会议快要开始了，代表们_____走进了会场。

❸ 这次比赛是在全国_____内举行的。

④ 前两局棋输给爸爸，他_____并不担心。

⑤ 不管遇到什么困难，都要_____地面对生活。

⑥ 这只是我个人意见，仅供你_____。

2　选择正确答案

① 这个玩具是我爸爸亲手为我_____的。 　　　　　（A. 制作　　　B. 制造）

② 我们_____他明天9点能出发，那么10点可以到这儿。

　　　　　　　　　　　　　　　　　　　　　　　　（A. 假设　　　B. 假如）

③ 我们已经安全地_____目的地了。 　　　　　　　（A. 达到　　　B. 到达）

④ 来我们公司工作，你的前途一片_____！ 　　　　（A. 光明　　　B. 明亮）

3　画线连接可以搭配的词语

（1）		（2）	
一届	答案	失去	锻炼
一堆	学生	制定	公司
一份	优势	缺乏	家庭
一种	垃圾	成立	法律

4　根据下面的提示词复述课文内容

内容提示	重点词语	课文复述
刘辰的烦恼	届、乐观、优势	
刘辰的机会	简历、体验、从此、初中、成长	
节目现场	制作、假设、反应、陆续、堆、具体	
求职的结果	显然、成立、前途、缺乏	

扩展
xpansion

话题	HSK（五级）话题分类词语
职业	模特（mótè）、会计（kuàijì）、秘书（mìshū）、农民（nóngmín）、工程师（gōngchéngshī）、工人（gōngrén）、员工（yuángōng）
求职	人事（rénshì）、报到（bào dào）、失业（shī yè）、手续（shǒuxù）、待遇（dàiyù）、兼职（jiānzhí）、简历（jiǎnlì）

● **做一做**：从上表中选择合适的词语填空

（1）你女儿的身材这么好，可以去当个＿＿＿＿＿。

（2）我要考注册＿＿＿＿＿师，报了个辅导班，每周末都要上课。

（3）平时我上课，周末我会到一个公司去做＿＿＿＿＿。

（4）我们决定录用你，请你下周一到＿＿＿＿＿部办理＿＿＿＿＿手续。

运用
pplication

背景分析：

在中国，大学生就业是个很重大的问题。以前，大学毕业的时候，国家会负责分配（fēnpèi, to allot）工作，而且这些工作不常变动，被称为"铁饭碗"。后来，大学生就业逐渐从等待分配变成了双向选择，学生可以自由地选择工作单位，单位也会根据自己的需要选择合适的学生。

话题讨论：找工作

1. 你喜欢"分配工作"还是"双向选择"？为什么？

2. 一般的用人单位对员工可能有什么样的要求？

3. 你认为自己有什么优势？面对找工作的问题，你应该做哪些准备？

命题写作：

请以"寻找自己的优势"为题，谈一谈你的看法。尽量用上本课所学的生词，字数不少于100字。

29 培养对手
Training your rivals

请看下面的图，说一说你知道的日用品的名称。

2 请从本课的生词中找出与商业有关的词语，写在下面的横线上，并说说它们分别是什么意思。

与商业有关的生词：利润 ＿＿＿ ＿＿＿ ＿＿＿ ＿＿＿

课文
Text

培养对手 （652字） 💿 29-1

建伟在大学的一座公寓楼里开了一家书店，顺便卖点儿文具、电池、小日用品等。一年多来，虽然每件商品的利润都并不高，但他诚信经营，薄利多销，使书店生意越来越红火，甚至成为了媒体的采访对象。这个大学里另外还

生词 💿 29-2

1. 培养 péiyǎng v. to foster, to train
2. 对手 duìshǒu n. opponent, rival
3. 公寓 gōngyù n. apartment, flat
4. 文具 wénjù n. stationery
5. 电池 diànchí n. battery, cell
6. 日用品 rìyòngpǐn n. articles of everyday use, daily necessities
7. 利润 lìrùn n. profit
*8. 诚信 chéngxìn adj. honest, in good faith
9. 媒体 méitǐ n. media, mass media
10. 对象 duìxiàng n. target, object

有三家书店，由于受到了建伟书店的影响，这三家书店的经营空间越来越小，三家的营业额加起来还不如他一家高。建伟成了这里的"书店老大"。

这时，许多亲朋好友便建议他干脆把另三家书店挤垮，垄断这个市场。可建伟不但没有去挤垮对手，反而还经常帮助三家书店搞一些营销活动，对于一家快要倒闭的书店，他还主动热心地借给其资金，想办法让他继续经营下去。

有人问他："你怎么这么傻？就让他们倒霉，不好吗？！"

建伟说，我是在保持这一地区图书市场的"生态平衡"。商业领域其

实和自然界一样，自然界中的生物，适当有一些"敌人"，会促使它们生长得更好；同样的，对手并不会妨碍我的发展，反而会促进经营，让我获得更多利益。一个原因是这样能创造让客户有所比较和优中选优的购物环境，通过比较，学生们才知道我的书

11. 营业	yíngyè	v. to do business, to operate
*12. 额	é	n. specified number, sum, volume or amount
13. 不如	bùrú	v. to be not as good as, to be inferior to
14. 干脆	gāncuì	adv. simply, just
15. 挤	jǐ	v. to squeeze out, to push out
*16. 垮	kuǎ	v. to collapse, to break down
*17. 垄断	lǒngduàn	v. to monopolize
*18. 倒闭	dǎobì	v. to close down, to go bankrupt
19. 热心	rèxīn	adj. enthusiastic, earnest
20. 资金	zījīn	n. capital, fund
21. 傻	shǎ	adj. stupid, foolish
22. 倒霉	dǎo méi	adj. having bad luck, unlucky
*23. 生态	shēngtài	n. ecology
24. 商业	shāngyè	n. business, commerce
25. 领域	lǐngyù	n. field, domain, realm
*26. 适当	shìdàng	adj. proper, adequate
27. 促使	cùshǐ	v. to urge, to spur, to prompt
28. 生长	shēngzhǎng	v. to grow
29. 妨碍	fáng'ài	v. to hinder, to impede
30. 促进	cùjìn	v. to promote, to accelerate
31. 利益	lìyì	n. benefit, interest

店服务好、品种优、价格合理。如果只有我一家书店了，学生们没有了比较，价格定得再低也会认为我的书价高，万一他们自己跑到其他图书市场去"货比三家"，那我的生意就完了。还有一个很重要的原因，就是维持这种书店饱和的"生态"，避免更多、更强的对手来"插足"。我把其他三家都挤垮了，不见得是件好事，因为别人一看这么大的地方只有我一家书店，新的书店可能就会出现，弄不好来一个比我更强的对手。所以，为了保持目前这种经营的"生态平衡"，我要继续把对手培养好。

改编自《小故事大道理》，作者：宗先哲

32. 合理	hélǐ	adj. reasonable
33. 万一	wànyī	conj. in case, if by any chance
* 34. 维持	wéichí	v. to keep, to maintain
* 35. 饱和	bǎohé	v. to be saturated, to be filled to capacity
36. 不见得	bújiàndé	adv. not necessarily, may not

专有名词

建伟　　Jiànwěi
　　　　Jianwei, name of a person

注释（一）词语例释
Notes 1 不如

"不如"，动词，表示比不上。例如：

（1）求人不如求己。

（2）……由于受到了建伟书店的影响，这三家书店的经营空间越来越小，三家的营业额加起来还不如他一家高。

（3）如果找一个棋艺不如你或者和你差不多的人下棋，虽然你可能会轻易地战胜对手，但并不能使你的棋艺得到提高。

● 练一练：完成句子或对话

（1）A: 周末咱们去趟长城怎么样？

　　 B: _____。（不如）

（2）A: 与上学期相比，你这学期的成绩有进步吗？

　　 B: _____。（不如）

（3）今天阳光真好，在房间睡觉_____。（不如）

2 干脆

"干脆",形容词,形容说话、做事痛快、不犹豫。例如:

(1)他这人很干脆,说行就行,说不行就不行。

(2)我求他帮忙,他答应得很干脆。

"干脆"也可以做副词,表示简单、果断地。例如:

(3)我已经试了六次了,还是不行,我看我干脆放弃好了。

(4)这时,许多亲朋好友便建议他干脆把另三家书店挤垮,垄断这个市场。

● 练一练:完成句子或对话

(1)A:现在这工作真没意思,又累挣得又少!

B:_____。 (干脆)

(2)这件事你已经考虑了一个月了,_____? (干脆)

(3)A:_____。 (干脆)

B:行,那我们叫大家明天一起开个会吧。

3 万一

"万一",连词,表示可能性很小,一般用于意外或不利的情况。例如:

(1)……万一他们自己跑到其他图书市场去"货比三家",那我的生意就完了。

(2)不要将所有的鸡蛋都放在一个篮子里,因为万一不小心,鸡蛋就有可能全部打碎。

"万一"也可以做名词,表示可能性很小的意外情况。经常用在"就怕万一""以防万一"这样的固定格式中。例如:

(3)不怕一万,就怕万一。

(4)她总是带着一把枪,以防万一。

● 练一练:完成句子或对话

(1)我们还是早点出发吧,_____。 (万一)

(2)A:今天晚上你回家吃饭吗?

B:_____。 (万一)

(3)A:天气看起来不错,不用带伞了。

B:_____。 (万一)

（二）词语搭配

动词	+	宾语
培养		能力/兴趣/感情/爱好
促使		他成长/自己改正缺点/她努力学习
妨碍		交通/你/别人学习
促进		经济发展/两国友谊/科技进步
数量词	**+**	**名词**
一套/一间/一所		公寓
一节/一块		电池
主语	**+**	**谓语**
资金		不足/紧张
价格/收费/方法/建议/结构/设计		合理

（三）词语辨析

■ 挤—拥挤

	挤	拥挤
共同点	都可以做动词和形容词，形容词的意思都是地方小而人或物多。	
	如：这么小的教室里放三十张桌子，太挤/拥挤了！	
不同点	1.动词，强调用力使自己从人群中通过。	1.动词，强调挤在一起。
	如：坐车的人太多了，我挤了半天才挤上车。	如：请先下后上，不要拥挤。
	2.一般做谓语。	2.可做主语或宾语。
	如：为了买到票，我挤得满头大汗！	如：交通拥挤是个大问题。

不同点	3.动词，指用力使东西从小孔或小缝中出来。	3.没有这个意思。
	如：牙膏用完了，已经挤不出来了。	
	4.动词，指人或物紧紧挨在一起，或事情集中在同一时间段里。	4.没有这个意思。
	如：如果你的生活先被不重要的事挤满了，那你就无法再装进更大、更重要的事了。	
	5.有排挤（páijǐ, to push out）的意思。	5.没有这个意思。
	如：许多亲朋好友便建议他干脆把另三家书店挤垮，垄断这个市场。	

● 做一做：选词填空

	挤	拥挤
（1）所有的事都_____在这一个星期了。	✓	✗
（2）由于人群_____，有人受了伤。		
（3）他假装伤心，_____出了两滴眼泪。		
（4）周末这家商场里虽然人很多，但并不_____。		

练习 **1** 选择合适的词语填空
Exercises

电池　　妨碍　　利润　　培养　　资金　　不见得

❶ 太晚了，我先走了，不_____您休息。

❷ 我的手机_____不行了，得去换一块。

❸ 让他们俩在一起多待一会儿吧，_____一下感情。

❹ 我们这个是薄利多销，本来就没有多少_____。

❺ 你们上次赢了，这次就肯定也能赢吗？我看_____。

❻ 这次活动，学校为我们提供了_____支持。

2 选择正确答案

① 她的汉语说得很好，我的发音＿＿＿＿她。　　　　　　　　（A. 不如　　B. 没有）

② 我建议你别去看那个演出，我已经看过了，很＿＿＿＿！

（A. 倒霉　　B. 糟糕）

③ 最后老师的话＿＿＿＿他改变了主意。　　　　（A. 促进　　B. 促使）

④ 阳台、卧室的整体感觉都不错。但是桌子摆这儿，明显不＿＿＿＿。

（A. 合理　　B. 有理）

3 给括号里的词选择适当的位置

① 听说展览馆最近A有个B小人书展，C我们周末去D看看吧。　（不如）

② 他A上周B迟到，C这周D不来了？！　　　　　　　　　　（干脆）

③ A你B小心一点儿，C受伤就D麻烦了。　　　　　　　　　（万一）

④ 大家A都选的B就C是D最好的。　　　　　　　　　　　（不见得）

4 根据下面的提示词复述课文内容

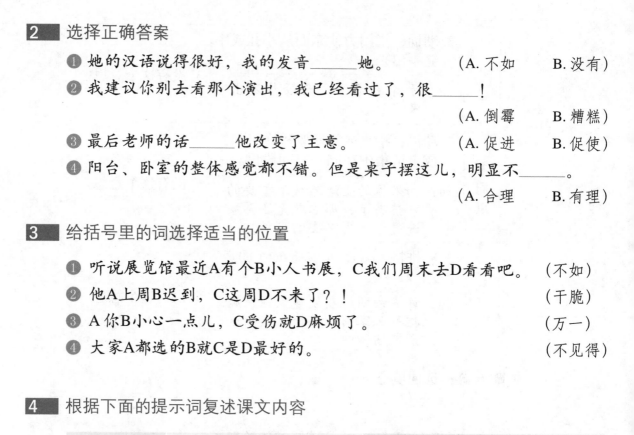

内容提示	重点词语	课文复述
建伟书店的经营情况	公寓、利润、媒体、不如	
亲友的建议	干脆、热心、傻	
建伟的反应	商业、促使、妨碍、促进、万一、不见得	

扩展
Expansion

话题	HSK（五级）话题分类词语
经济1	发票（fāpiào）、收据（shōujù）、支票（zhīpiào）、欠（qiàn）、税（shuì）、市场（shìchǎng）、执照（zhízhào）、柜台（guìtái）、商品（shāngpǐn）、优惠（yōuhuì）、讨价还价（tǎojià-huánjià）、兑换（duìhuàn）、投资（tóuzī）、分配（fēnpèi）

● **做一做**：从上表中选择合适的词语填空

（1）这是找您的钱，这是_____，请拿好。

（2）交_____是每个人的义务。

（3）我不喜欢在小商品市场买东西，因为我不会_____。

（4）将军把自己的食品_____给了身边的每一个士兵。

运用
pplication

背景分析：

生物界有一个大家都很熟悉的理论，叫"适者生存"（shēngcún，survival of the fittest），意思是说，能够适应环境的人才能够很好地存在、生活下去。这一理论在商业领域同样适用。为了在商业竞争中取得有利的地位，保持利润的增长，商家会想各种各样的办法，提高自己在市场上的生命力。课文中的建伟，面对不如自己的竞争对手，采取了一种与众不同的方式，来为自己创造一个良好的竞争环境。

话题讨论：适者生存

1.课文中建伟面对不如自己的竞争对手和亲友的建议，他是怎么做的？

2.你同意他的做法吗？你认为他的说法有没有道理？

3.如果你是建伟，你会怎么做？

命题写作：

请以"如果我是建伟"为题，谈一谈你的看法。尽量用上本课所学的生词，字数不少于100字。

30 竞争让市场更高效
Competition makes the market more efficient

你觉得这幅图片想告诉我们什么？说说你对这幅图片的理解。

2 请试着找出本课和你知道的跟"竞争"有关的词语，写在下面的横线上，并说说你选这些词的道理。

本课生词中的：<u>刺激</u> ＿＿＿ ＿＿＿

其他你知道的：＿＿＿ ＿＿＿ ＿＿＿

课文 | 竞争让市场更高效（607字） 🔊 30-1
Text

西班牙人特别喜欢吃沙丁鱼。但沙丁鱼对离开大海后的环境极不适应，运输就成了问题。鱼上岸后，过不了多久就会死去。而死掉的沙丁鱼口感很差，作为商品销售，价格就会便宜很多。如果上岸时沙丁鱼还活着，鱼的卖价可以涨很多倍。

为了延长沙丁鱼的存活期，减少经济损失，渔民们想了很多办法，但情况仍然没有得到太大的改善。后来一位

生词 🔊 30-2

*1. 沙丁鱼 shādīngyú　n. sardine

2. 运输　yùnshū
　　v. to transport, to convey

3. 岸　àn
　　n. bank (of a river, lake, etc.), shore, coast

4. 商品　shāngpǐn
　　n. goods, commodity

5. 延长　yáncháng
　　v. to prolong, to lengthen

*6. 存活　cúnhuó
　　v. to survive, to exist

7. 改善　gǎishàn
　　v. to improve, to make sth. better

渔民无意中发现了一种巧妙而实用的方法：把几条沙丁鱼的天敌鲇鱼放进装鱼的设备中。因为鲇鱼是食肉鱼，无法和沙丁鱼和平共处，它会四处游动寻找小鱼吃，对沙丁鱼构成威胁。为了逃避天敌，沙丁鱼自然会不断地加速游动，从而保持了旺盛的生命力，存活的比例大大提高。

看到这里，你有什么感想和体会呢？其实，这在经济学上被称为"鲇鱼效应"。"鲇鱼效应"对于市场经济以及现代企业管理都有着重要的启发作用。这个概念的核心是：一个市场如果能采取一种措施，刺激企业活跃起来，就能使企业获得足够的活力，在市场中积极参与竞争而不至于落后，同时这样反过来又能促使市场更为高效。

从本质上说，"鲇鱼效应"使得企业和员工产生一种危机感，其实就是一种压力效应。很多研究发现，适度的压力有利于我们保持良好的状态，更加有助于挖掘我们的潜力，从而提高个人的工作效率。比如运动员

*8. 无意	wúyì	
	adv. accidentally, inadvertently	
9. 巧妙	qiǎomiào	
	adj. ingenious, clever	
10. 实用	shíyòng	adj. practical
*11. 天敌	tiāndí	n. natural enemy
*12. 鲇鱼	niányú	n. catfish
13. 设备	shèbèi	
	n. (referring to a container in this text) equipment, device	
14. 和平	hépíng	adj. peaceful
15. 构成	gòuchéng	
	v. to compose, to form, to pose	
16. 逃避	táobì	v. to escape, to evade
17. 不断	búduàn	
	adv. continuously, unceasingly	
*18. 旺盛	wàngshèng	
	adj. exuberant, vibrant	
19. 比例	bǐlì	n. proportion, scale
20. 感想	gǎnxiǎng	
	n. impressions, thoughts	
21. 体会	tǐhuì	
	n. feeling, understanding	
22. 概念	gàiniàn	n. concept, notion
23. 核心	héxīn	n. core, kernel
24. 刺激	cìjī	v. to stimulate, to excite
*25. 活力	huólì	n. vigor, vitality
26. 落后	luòhòu	
	v. to fall behind, to lag behind	
27. 本质	běnzhì	
	n. essence, nature, intrinsic quality	
28. 员工	yuángōng	
	n. staff, employee	
*29. 危机	wēijī	n. crisis
30. 有利	yǒulì	
	adj. beneficial, advantageous	
*31. 挖掘	wājué	v. to dig, to unearth
*32. 潜力	qiánlì	n. potential

每到参加比赛，尤其是决赛时，一定要将自己调整到接近最佳状态，让自己感到适度的压力，如果他不紧张、没压力感，则不利于出成绩。因此，"鲇鱼效应"的确对挖掘员工潜力、提高企业活力具有积极的意义。

改编自《每天学一点经济学》

33. 决赛	juésài	
	v. final, final match	
34. 接近	jiējìn	
	v. to approach, to be close to	
*35. 佳	jiā	adj. good, fine
36. 的确	díquè	adv. indeed, really

注释（一）词语例释

Notes **1** 无意

"无意"，动词，意思是"不愿、没有打算"。例如：

（1）他无意伤害任何人。

（2）我无意打扰您，不过我可以跟您谈一会儿吗？

"无意"，还是副词，意思是"不是故意的"，常说"无意中……"。

例如：

（3）后来一位渔民无意中发现了一种巧妙而实用的方法……

（4）她在收拾花园时，无意地找到了这只耳环。

● 练一练：完成句子或对话

（1）售货员看他_____，就拿出另外一款更便宜的手机。

（无意）

（2）真对不起！踩到您的脚了，_____ 。 （无意）

（3）A: 你怎么知道他去找了刘经理？

B: _____。 （无意）

2 有利

"有利"，形容词意思是"有好处、有帮助"。常用"有利于"表示对某人或某事物有好处。否定的说法是"不利"。例如：

（1）高高的个子、漂亮的外表，都是他的有利条件。

（2）很多研究发现，适度的压力有利于我们保持良好的状态，……

（3）笑能促进心肺活动，改善肌肉紧张状况，对睡眠也是有利的。

● **练一练**：用所学词语改写句子

（1）我听人介绍，苹果是对健康最有好处的水果。

我听人介绍，＿＿＿＿＿＿＿＿＿＿＿＿＿＿。

（2）与电子阅读相比，纸质阅读对保护眼睛更有帮助。

与电子阅读相比，＿＿＿＿＿＿＿＿＿＿＿＿。

（3）考试时，适度的紧张能使考生更好地集中精力完成考试。

考试时，＿＿＿＿＿＿＿＿＿＿＿＿＿＿＿。

3 的确

"的确"，副词，意思是"完全确实，实在"。可以重叠为"的的确确"。例如：

（1）因此，"鲇鱼效应"的确对挖掘员工潜力、提高企业活力具有积极的意义。

（2）他的确是我所教过的学生中最聪明的。

（3）咱们总裁选择李阳负责的的确确有些冒险，因为他太年轻了。

● **练一练**：完成句子或对话

（1）丽丽的歌声优美动人，听她唱歌＿＿＿＿＿＿＿＿＿。 （的确）

（2）A：卧室的窗帘有些日子没洗了吧？

B：＿＿＿＿＿＿＿＿＿＿＿＿＿＿＿。 （的确）

（3）A：我这次去九寨沟拍的照片你看了吗？

B：＿＿＿＿＿＿＿＿＿＿＿＿＿＿＿。 （的确）

（二）词语搭配

动词	+	宾语
改善		条件/环境/关系/管理/生活/质量/服务
刺激		胃/大脑/生产/购买力/经济

定语	+	中心语
有利的		形势/条件/地位/环境/位置/因素
巧妙的		方法/主意/设计/方式/回答/比喻/处理/发明
状语	+	中心语
不断		发展/改善/追求/调整/积累/投入/成熟/丰富/优化
无意（中）		发现/看到/知道/成为/说出/听到/提起
主语	+	谓语
概念		明确/模糊/错误/复杂
设备		落后/齐全/完好

（三）词语辨析

 接近—靠近

	接近	靠近
共同点	都是动词，都有"彼此间距离近或向一定目标运动，使彼此间距离变小"的意思，有时可以替换。	
	如：这个地方接近/靠近北极地区，夏季白天很长，天亮得也很早。	
不同点	1.搭配的词语可以表示具体的人、事物、时间、地点和数量等。	1.搭配的词语可以表示具体的人、事物、地点，但一般不能用于时间、数量方面。
	如：接近下午一点时，救护车终于赶到了。	如：他们挤在靠近车窗的地方，脸对脸离得很近。
	2.还可以搭配表示抽象事物的词语。	2.一般不能搭配表示抽象事物的词语。
	如：经过努力，现在我们已越来越接近年初定下的销售目标了。	
	3.还可以表示差距不大。	3.没有这个意思。
	如：他们俩的水平非常接近，这场比赛真不好说谁会赢。	

● **做一做**：选词填空

	接近	靠近
（1）做这个动作时，大腿要尽量＿＿＿＿胸部。	×	✓
（2）直到天快亮的时候，他的体温才＿＿＿＿正常。		
（3）这项技术已＿＿＿＿世界先进水平。		
（4）对于这个问题，几国的意见很＿＿＿＿。		

练习 **1** 选择合适的词语填空

Exercises

实用　　接近　　落后　　逃避　　构成　　延长

① 中国的发展和强大不会对任何人＿＿＿＿威胁。

② 遇到困难不应该＿＿＿＿，应该积极地面对。

③ 由于报名的考生太多，学校决定适当＿＿＿＿报名时间。

④ 公司在产品包装、宣传推广和销售等方面积累了相当丰富、＿＿＿＿的
经验。

⑤ 中国各地区经济发展水平不平衡，中西部＿＿＿＿于东南沿海地区。

⑥ 参加本届运动会的运动员人数＿＿＿＿一万人。

2 选择正确答案

① 你听谁说刘方要结婚了？消息＿＿＿＿吗？　　　　　（A. 的确　　B. 确实）

② 主任临时有点儿事，下午的会＿＿＿＿到明天了。　　（A. 延长　　B. 推迟）

③ 让孩子＿＿＿＿到自己的意见受到尊重，这一点很重要。

　　　　　　　　　　　　　　　　　　　　　　　　　（A. 体会　　B. 感想）

④ 他＿＿＿＿就看不见这些美丽的花呀。　　　　　　　（A. 本质　　B. 根本）

3 画线连接可以搭配的词语

（1）

设备   惊人
体会   笨重
概念   深刻
效率   抽象

（2）

说话   落后
经济   和平
方法   巧妙
世界   实用

4 根据下面的提示词复述课文内容

内容提示	重点词语	课文复述
沙丁鱼的运输问题	环境、适应、岸、口感、销售、涨	
如何提高沙丁鱼的存活率	延长、损失、改善、无意、巧妙、实用、逃避、不断、比例	
"鲇鱼效应"的启发	体会、核心、刺激、活力、落后、危机感、有利、状态	

扩展
Expansion

话题	HSK（五级）话题分类词语
经济2	出口（chūkǒu）、进口（jìnkǒu）、贸易（màoyì）、谈判（tánpàn）、合同（hétong）、中介（zhōngjiè）、破产（pòchǎn）、资金（zījīn）、利润（lìrùn）、股票（gǔpiào）、账户（zhànghù）、利息（lìxī）、贷款（dàikuǎn）、汇率（huìlǜ）、押金（yājīn）

● **做一做**：从上表中选择合适的词语填空

（1）他从事对外_____工作多年，积累了丰富的经验。

（2）_____进行得还算顺利，最快下周就可以签合同了。

（3）公司的项目挺不错，但资金出了问题，目前面临_____危险。

（4）买房的_____还有三四年就可以还清了。

运用
oplication

背景分析：

科学研究表明，在竞争过程中，人处于紧张的情绪状态，这能激发人的创造精神，使人反应灵活，想象丰富，有利于个体潜力的发挥。竞争的好处确实不少，它有利于运动员创造好成绩，可以增强企业的活力，能够推动经济和社会的发展。但竞争也有不利的一面，有些失败者会丧失信心、产生自卑感（zìbēigǎn, inferiority complex），竞争的压力可能导致我们情绪过分紧张和焦虑（jiāolǜ, anxious），甚至有些人会把别人的成绩看作一种威胁，引发怨恨和妒忌（dùjì, to feel jealous），损害人际关系。

话题讨论：你喜欢竞争吗?

1.请列举一些生活中的实例，说明竞争给我们带来的好处。

2.你有过在竞争中失败的经历吗? 说说它对你有何影响。

3.如果竞争是不可避免的，你认为应该如何面对?

命题写作：

请以"竞争的利与弊（bì, disadvantage）"为题，谈一谈你的看法。尽量用上本课所学的生词，字数不少于100字。

观察社会
Observing the society

Unit 11

31 登门槛效应
Foot-in-the-door effect

如果你想请别人帮你做件事情，又担心对方不愿意，你一般会考虑哪些问题？你会以何种方式向对方提出请求呢？

2 你知道哪些表示人的意愿、态度的词语？请写在下面的横线上，并说说它们分别是什么意思。

本课生词中的：＿＿＿ ＿＿＿ ＿＿＿

其他你知道的：接受 ＿＿＿ ＿＿＿

课文
Text

登门槛效应 （714字） 🔘 *31-1*

　　一个朋友在报社当编辑。一天他去请假，他先问领导："您今天心情好吗？"领导说："怎么了？"朋友答："嗯，如果您心情好，我就说件事；心情不好就改天再说。"领导有了兴趣，假，就这样轻易地请好了。

　　不得不说，这位朋友很会利用"登门槛效应"来处理问题。

　　心理学家曾做过"登门槛技术"的现场实验。他们派人到两个社区，劝人们在屋前立一块"小心驾驶"的圆形标志。在第一个社区，研

生词 🔘 *31-2*

*1. 门槛　ménkǎn　n. threshold

2. 报社　bàoshè
n. newspaper office, headquarters of a newspaper

3. 编辑　biānjí　n. editor

4. 嗯　ng
int. *used to indicate positive response*

5. 轻易　qīngyì　adj. easy, effortless

6. 处理　chǔlǐ
v. to handle, to deal with

*7. 社区　shèqū　n. community

8. 劝　quàn　v. to try to persuade

9. 圆　yuán　adj. round, circular

10. 标志　biāozhì　n. sign, mark

究人员直接向人们提出要求，结果很多人表示拒绝，接受率仅为17%。在第二个社区，研究人员把同样的事情分成两个步骤：先向大家出示一份赞成安全驾驶的请愿书，请求他们在上面签字，几周后再提出立牌要求，这次接受者竟然达到了55%。第一个步骤的签字是很容易的，几乎所有人都照做了，大家可能都没意识到，这个小小的"登门槛行为"对接下来的决定产生了重要影响。

日常生活中也是这样。当你想要求某人做某件较大的事情，又担心对方不愿意做时，可以先向他/她提出做一件同类型的、比较容易的事。比如你想与一个女孩谈恋爱，如果一开始就迫切地提出要跟她约会，女孩可能会犹豫，甚至表现得很冷淡；如果你说"饭总是要吃的吧，一起吃饭吧"，她答应了，

那接下来是去看电影还是泡酒吧都无所谓了。你想让同事帮你值班或写报告什么的，直接说八成儿会被拒绝，把事情模糊化，"能不能帮个小忙"，"不会占用你很多时间"，台阶一铺，事情就容易多了……

11. 出示　chūshì　v. to show, to produce

12. 赞成　zànchéng
v. to agree with, to approve of

* 13. 请愿书　qǐngyuànshū　n. petition

14. 恋爱　liàn'ài　n. (romantic) love

15. 迫切　pòqiè
adj. urgent, pressing, eager

16. 犹豫　yóuyù　adj. hesitant

17. 冷淡　lěngdàn　adj. cold, indifferent

18. 无所谓　wúsuǒwèi
v. to not care, to not mind,
to not take seriously

* 19. 值班　zhí bān
v. to be on duty or shift

20. 报告　bàogào　n. report

* 21. 八成（儿）　bāchéng (r)
adv. most probably, most likely;
eighty percent

22. 模糊　móhu
adj. blurred, indistinct, vague

你可能会说，这些小动作会让人觉得你很狡猾。但是不得不承认，有了这些小动作的帮助，别人的确更愿意接受你的请求。有时候，当你自认为了不起时，别人通常觉得你这人不过如此；可是当你放低身段时，会缩短与人的距离，别人并不会看不起你，反而会觉得你为人谦虚。实践证明，第二种人得到的总是比第一种人更多。

23.	狡猾	jiǎohuá	adj. crafty, cunning
24.	了不起	liǎobuqǐ	adj. great, amazing
*25.	身段	shēnduàn	n. posture, manner, attitude
26.	缩短	suōduǎn	v. to shorten
27.	看不起	kànbuqǐ	v. to look down upon, to despise
28.	谦虚	qiānxū	adj. modest
29.	实践	shíjiàn	v. to put into practice

改编自《休闲》2011年第3期，作者：郭茗儿

注释（一）词语例释
Notes 1　嗯

"嗯"，叹词。

1. 读ńg，表示疑问。例如：

（1）嗯？不是28号，难道是我记错了？

（2）嗯？人都去哪儿了？

2. 读ňg，表示感觉意外或认为不该是这样。例如：

（3）嗯！你的房间为什么这么冷？

（4）嗯！你怎么还没走啊？

3. 读ǹg，表示答应或认同。例如：

（5）嗯，如果您心情好，我就说件事；心情不好就改天再说。

（6）嗯，没问题，我这就给她送去。

● **练一练**：判断下列句中的"嗯"是哪种意思并在括号中填上正确的标点符号。

（1）嗯（　　）我记住了，明天给你发邮件。

（2）嗯（　　）小明怎么又忘了关灯啦？

（3）嗯（　　）我的手机怎么不见了？

2 **轻易**

　　"轻易"，形容词，意思是"简单容易"。一般做状语。例如：

　　（1）领导有了兴趣，假，就这样轻易地请好了。

　　（2）任何胜利都不是轻易得到的，背后都要付出艰辛的努力。

　　"轻易"还可以是副词，表示处理事情态度不慎重，随随便便。常用在否定句中构成"轻易不……"的格式，表示"很少（做……）"的意思。例如：

　　（3）他这个人的特点，是从不轻易决定，也不轻易转变。

　　（4）他为人好强，轻易不求人，这次向咱们借钱，一定是遇到什么难事了。

● **练一练：** 完成句子或对话

　　（1）这条路改为单行线后，＿＿＿＿＿＿＿＿＿＿＿＿＿＿。（轻易–形）

　　（2）A: 爸，天这么热，你们怎么不开空调啊？

　　　　B: ＿＿＿＿＿＿＿＿＿＿＿＿＿＿＿＿。（轻易不……）

　　（3）A: 现在骗子越来越多，这个星期我都接到两个骗人的电话了。

　　　　B: ＿＿＿＿＿＿＿＿＿＿＿＿＿＿＿＿。（轻易不……）

（二）词语搭配

动词	+	宾语
缩短		长度/距离/时间/路线
处理		问题/矛盾/关系/工作/信息/文件/商品
定语	**+**	**中心语**
狡猾的		狐狸（húli, fox）/敌人
了不起的		人物/贡献/成绩/发明/创造/民族/母亲
状语	**+**	**中心语**
迫切地		要求/需要/希望/盼望/寻找
轻易（地）		相信/放弃/改变/实现/答应/错过（机会）/发表（意见）/达到（目标）

主语	+	谓语
视线/记忆/声音/印象/意思/光线/字迹		模糊
态度/表情/关系/生意/反应		冷淡

（三）词语辨析

■ 轻易—容易

	轻易	容易
共同点	做形容词时，都可以表示做起来不费事。	
不同点	1. 侧重做事轻松，不费力气。一般做状语。	1. 除表示事情简单、不难办外，还可表示事情本身的内容不复杂。可单独做谓语。
	如：她从小学习就好，高考时很轻易地考上了名牌大学，接着又读了研究生。	如：今天的考试特别容易，我半个小时就答完了。
	2. 没有这个意思。	2. 还表示发生某种变化的可能性大。
		如：他最近心情不好，容易发脾气。
	3. 还是副词，表示随随便便的意思。	3. 没有这个用法。
	如：我爱书，无论走到哪里，我从不轻易放过书摊、书店。	

● **做一做**：选词填空

	轻易	容易
（1）据说这位刘先生从不＿＿＿花钱请人吃饭。	✓	×
（2）看完信后，＿＿＿不动感情的父亲眼圈都红了。		
（3）你这样做，不了解情况的人很＿＿＿误会。		
（4）我们双方都没有＿＿＿放弃自己的意愿。		

练习
Exercises

1 选择合适的词语填空

迫切　　无所谓　　了不起　　标志　　处理　　赞成

① 每次比赛之前，我都要仔细记一些比赛线路周围的_____。

② 大家都不_____让刘研去负责上海的项目。

③ 平时很多问题都是他去_____的，别人根本不会。

④ 如果新工作有发展空间，工资低一点儿也_____。

⑤ 公司_____需要开发出适合亚洲市场的新产品。

⑥ 不就是买了个新手机吗？有什么_____的。

2 选择正确答案

① 没想到，主任的态度很_____，不同意他去。　　　　（A. 冷淡　B. 清淡）

② 当经理有什么_____的。　　　　　　　　　　　　（A. 了不起　B. 不得了）

③ 你自己一个人去花园里玩儿，妈妈_____了吗？　　（A. 赞成　B. 同意）

④ 挺好的工作为什么要辞职？你怎么这么_____啊？　（A. 糊涂　B. 模糊）

3 画线连接可以搭配的词语

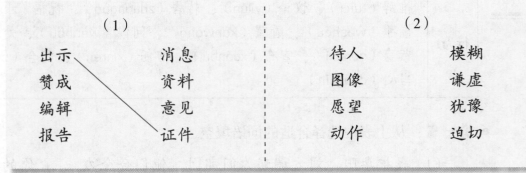

	（1）		（2）
出示	消息	待人	模糊
赞成	资料	图像	谦虚
编辑	意见	愿望	犹豫
报告	证件	动作	迫切

4 根据下面的提示词复述课文内容

内容提示	重点词语	课文复述
朋友是如何请好假的	编辑、领导、心情、改天、兴趣、轻易、利用、处理	
心理学家的实验	社区、驾驶、标志、拒绝、接受、步骤、赞成、签字	
如何向人提出请求	迫切、犹豫、冷淡、答应、无所谓、模糊、台阶	
"放低身段"的好处	了不起、通常、缩短距离、看不起、谦虚	

扩展
Expansion

话题	HSK（五级）话题分类词语
行为1	推辞（tuīcí）、议论（yìlùn）、转告（zhuǎngào）、祝福（zhùfú）、握手（wòshǒu）、看望（kànwàng）、问候（wènhòu）、处理（chǔlǐ）、恭喜（gōngxǐ）、宣布（xuānbù）、信任（xìnrèn）、配合（pèihé）、当心（dāngxīn）

● **做一做**：从上表中选择合适的词语填空

（1）我把李阳、刘方调到你们部门，他们会全力_____你的工作。

（2）_____是对孩子最大的鼓励，也是给孩子最好的爱。

（3）在校长和师生们再三邀请下，刘先生_____不过，只好走上讲台。

（4）听说你接到北大的录取通知书啦？_____你啊！

运用
pplication

背景分析：

　　我们生活在社会上，天天要与别人打交道，经常会遇到别人有求于你的时候。通常，我们都会乐于满足对方，接受请求或提供帮助，但有时我们也会出于种种原因拒绝对方。有人说，接受或帮助与否，要看对方是什么人，或者自己当时的心情如何；也有人认为要看对方的请求是否合理，或者自己是否有能力帮到他。面对别人提出的请求，你会怎么处理呢？

话题讨论：**交往之道——接受与拒绝**

　　1.你觉得帮助别人对你会有影响吗？

　　2.介绍你拒绝别人的一次经历，那是什么事？你觉得自己的处理怎么样？

　　3.在与人交往中，你处理"接受与拒绝"这类事情的原则是什么？

命题写作：

　　请以"我该不该接受/拒绝呢？"为题，谈一谈你对这个问题的看法。尽量用上本课所学的生词，字数不少于100字。

32

身边的环保
Protecting the environment around us

热身 1
Warm-up

结合图片，请你举例说明人类对环境的破坏造成了哪些恶劣的影响。

2 当我们谈论环境遭到污染和破坏时，常常提到哪些词语？请写在下面的横线上，并说说它们是什么意思。

本课生词中的：<u>破坏</u> ＿＿＿ ＿＿＿

其他你知道的：＿＿＿ ＿＿＿ ＿＿＿

课文
Text

身边的环保 （737字） 32-1

　　如果你觉得地球上的一点儿小污染没什么关系，那你可就大错特错了！环境污染会危害动物、植物以及人类自身。

　　有些生活在过去的动物，你今天再也看不到了，植物也面临着同样的危险。动植物的消失，部分原因是由于自然界的变化，比如洪水、地震等改变了它们生活的环境，但更大的原因则是人类对自然的破坏——有些地区的森林已经几乎被人砍光了，很多河流被污染，不再适合鱼类生存，

生词 32-2

1. 消失　xiāoshī
   v. to disappear, to vanish
*2. 洪水　hóngshuǐ　n. flood
3. 地震　dìzhèn　v. earthquake
4. 破坏　pòhuài
   v. to destroy, to damage
5. 砍　kǎn　v. to cut, to chop, to fell
*6. 生存　shēngcún
   v. to live, to subsist

有的地区原本是草原，如今已变为沙漠……从国际环保组织公布的数据可知，地球上一半以上的动植物正在消失，这是真实的情况，一点儿也不夸张。

人类自身也饱受污染的危害。有些地区地表水已污染，地下水又被过量使用，水资源短缺问题就连科学家们也不知道该如何解决，目前世界上有17%的人无法享用干净的饮用水，而每年死于与空气污染有关的疾病的人比死于车祸的还要多。这些数据确实令人不安。

一部分环境污染是由工业农业生产活动造成的，例如，大型工厂生产过程中，有的会产生大量废水；有的要大量燃烧煤炭，从而产生大量废气和废物。还有一部分污染和我们的日常生活密切相关，汽车尾气就是其中之一。此外，垃圾也会对环境造成严重的损害。

幸运的是，越来越多的人敏感地认识到了环境问题的严重，并自觉地投入到了保护地球的行动中。生产中，增加环保设施，减少污染物排放，调整能源消费结构，逐步向可再生能源转变；而在日常生活中，改变生活习惯，尽量减少生活垃圾，做到垃圾分类。同时，尽量多骑自行车，多选择公共交通，少使用私家车。这

7. 沙漠　shāmò　n. desert

8. 公布　gōngbù
v. to announce, to make public

9. 数据　shùjù　n. data

10. 真实　zhēnshí　adj. real, actual

11. 夸张　kuāzhāng　adj. exaggerated

12. 资源　zīyuán　n. resource

* 13. 车祸　chēhuò　n. traffic accident

14. 不安　bù'ān　adj. upset, disturbed

15. 工业　gōngyè　n. industry

16. 农业　nóngyè　n. agriculture

17. 生产　shēngchǎn
v. to produce, to manufacture

18. 大型　dàxíng　adj. large-scale

19. 工厂　gōngchǎng　n. factory

20. 废　fèi　adj. waste, useless

21. 燃烧　ránshāo
v. to burn, to combust

22. 煤炭　méitàn　n. coal

23. 密切　mìqiè　adj. close, intimate

* 24. 尾气　wěiqì
n. exhaust gas, vehicle emission

25. 幸运　xìngyùn　adj. lucky, fortunate

26. 敏感　mǐngǎn
adj. sensitive, susceptible

27. 自觉　zìjué
adj. conscious, on one's own initiative

28. 设施　shèshī
n. installation, facilities

29. 能源　néngyuán　n. energy resource

30. 逐步　zhúbù
adv. gradually, step by step

31. 尽量　jǐnliàng
adv. to the best of one's abilities, to the greatest extent

32. 私(人)　sī(rén)　n. private

些为此付出努力的人们令人尊敬，取得的成绩也令人鼓舞。

地球是人类共同的家园，我们应该把它看作一个属于自己的大房间。房间脏了，消极的逃避和不符合实际的幻想都不能解决问题，为保持它的卫生每一个人都应付出行动，做出贡献。人类的命运由我们自己掌握，改变要靠我们自己。

33. 尊敬	zūnjìng
	v. to respect, to esteem
34. 鼓舞	gǔwǔ
	v. to encourage, to inspire
35. 消极	xiāojí　adj. passive, inactive
36. 幻想	huànxiǎng　n. fantasy, illusion
37. 贡献	gòngxiàn
	n./v. contribution; to contribute, to devote
38. 命运	mìngyùn　n. fate, destiny
39. 掌握	zhǎngwò
	v. to take charge of, to control

注释（一）词语例释
Notes 1　密切

"密切"，形容词，可以表示关系近。例如：

（1）还有一部分污染和我们的日常生活密切相关，汽车尾气就是其中之一。

（2）参加了这次环保活动后，两人便有了共同语言，来往也比先前密切了。

"密切"，还可以表示（对问题等）重视、仔细、周到。例如：

（3）刘医生密切地观察着李妈妈病情的发展。

（4）家长应和老师密切配合，形成合力，保持教育的一致性。

"密切"还可以是动词，意思是"使关系近"。例如：

（5）这条铁路的建成，大大密切了西南地区与首都的联系。

（6）友好城市之间的交往密切了两国人民之间的友谊。

● 练一练：完成句子或对话

（1）这种病传染性很强，＿＿＿＿＿＿＿＿＿＿＿＿＿＿＿＿＿。（密切）

（2）经济全球化＿＿＿＿＿＿＿＿＿＿＿＿＿＿＿＿＿。（密切）

（3）A：这两年，李雪飞来咱们家的次数好像少多了？

　　B：＿＿＿＿＿＿＿＿＿＿＿＿＿＿＿＿＿。（密切）

2 尽量

"尽量"，副词，表示努力在一定范围内达到最大限度。例如：

（1）同时，尽量多骑自行车，多选择公共交通，少使用私家车。

（2）老年人要尽量少吃油炸食品。

（3）为了节约能源，请大家都尽量使用节能电器。

● 练一练：完成句子或对话

（1）为了培养孩子的自理能力，＿＿＿＿＿＿＿＿＿。（尽量）

（2）明天单位有个活动，可能不能按时下班，＿＿＿＿＿＿＿

＿＿＿＿＿＿＿＿＿＿＿＿。（尽量）

（3）遇到危险情况时，先别慌，＿＿＿＿＿＿＿＿。（尽量）

3 逐步

"逐步"，表示一步一步地，多用于人为的情况，一般不能修饰形容词性词语。例如：

（1）云计算应用市场规模正在逐步扩大。

（2）……调整能源消费结构，逐步向可再生能源转变；

（3）记者了解到，现在受灾群众已逐步恢复了正常的生产生活。

● 练一练：完成句子或对话

（1）未来两天国内无明显冷空气活动，大部分地区天气晴好，＿＿＿＿

＿＿＿＿＿＿＿＿＿＿＿＿。（逐步）

（2）随着人们生活水平的不断提高，绿色食品＿＿＿＿＿＿＿＿＿

＿＿＿＿＿＿＿＿＿＿＿＿。（逐步）

（3）A: 你知道吗？现在，上网校的人越来越多。

B: ＿＿＿＿＿＿＿＿＿＿＿＿＿＿。（逐步）

（二）词语搭配

动词	+	宾语
破坏		设备/环境/秩序/关系/婚姻/家庭/计划/形象/和平/平衡
掌握		规律/方法/情况/信息/特点/命运/技术/知识/语言
定语	**+**	**中心语**
真实的		内容/故事/材料/消息/生活/经历/感情/看法/报道/原因
夸张的		故事/剧情/形象/动作/语言/数量
状语	**+**	**中心语**
自觉地		工作/学习/运用/遵守/爱护/注意/养成（习惯）
密切		合作/相关/联系/配合/注意/关注
主语	**+**	**谓语**
资源		开发（出来）/保护（起来）/浪费/丰富/不足/宝贵
设施		建成/完工/投入使用/完善/先进/落后

（三）词语辨析

■ 鼓励—鼓舞

	鼓励	鼓舞
共同点	都是动词，都有使人振作、增强信心的意思。	
	如：这次谈话，使刘洋受到极大的鼓励/鼓舞。	
不同点	1. 中性词，可用在坏的方面。	1. 褒义词。
	如：吸烟有害健康，你不阻止他，怎么还鼓励呢？	如：新产品的研制成功极大地鼓舞了科技人员。

不同点	2.语义侧重激励对方从事某种活动，主语多是人或组织。常用"鼓励某人做某事"的兼语形式。	2.语义侧重受到某种影响而精神振奋，主语多是事物。
	如：近些年，国家越来越鼓励大学生毕业后开办自己的公司。	如：新的胜利给了全体队员很大的鼓舞。
	3.没有这个意思和用法。	3.还是形容词，形容兴奋、振作。 如：年初制定的目标顺利实现，取得的成绩令人十分鼓舞。

● **做一做**：选词填空

	鼓励	鼓舞
（1）父母平时应_____孩子多参加体育活动。	✓	✗
（2）在工作中，管理者多_____员工，会提高员工的工作积极性。		
（3）听了他们的发言，我挺受_____的，对他们很有信心。		
（4）感谢大家对我的肯定与_____。		

练习 **1** 选择合适的词语填空

Exercises

鼓舞　公布　消失　幻想　不安　幸运

❶ 小时候，他常_____着自己有一天也能成为一名导演。

❷ 船翻了，他很_____地抱住一根木头，游到一个小岛上。

❸ 大赛的作品将被放在网上，由网友打分，比赛结果于四月十五日_____。

❹ 谈判的成功给了他极大的_____。

❺ 接到电话，她感到有些_____，急忙连夜赶回家中。

❻ 记录、保存将要_____的事物是摄影非常重要的作用。

2 选择正确答案

❶ 虽然我不同意你的看法，但我还是_____你的选择。

（A. 尊敬　　B. 尊重）

❷ 作品充分地表达了作者内心_____的情感。　（A. 真实　　B. 确实）

❸ 那个城市的基础_____还不够完善。　　　　（A. 设施　　B. 设备）

❹ 这次考试能否通过，我实在没什么_____。　（A. 把握　　B. 掌握）

3 画线连接可以搭配的词语

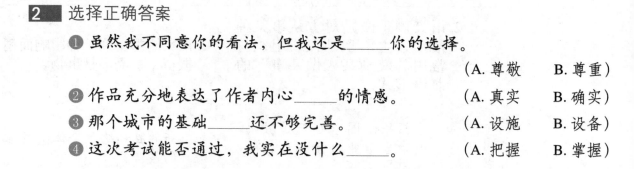

（1）		（2）	
贡献	幻想	态度	密切
放弃	力量	话题	不安
改变	人心	联系	消极
鼓舞	命运	心神	敏感

4 根据下面的提示词复述课文内容

内容提示	重点词语	课文复述
污染对动植物的危害	消失、自然界、破坏、砍、沙漠、真实	
污染对人类的危害	水资源、短缺、疾病、数据	
造成污染的原因	工业农业、生产、汽车尾气、垃圾	
保护环境的措施	设施、能源、逐步、转变、尽量、私家车	

扩展
xpansion

话题	HSK（五级）话题分类词语
资源	金属（jīnshǔ）、黄金（huángjīn）、银（yín）、钢铁（gāngtiě）、煤炭（méitàn）、能源（néngyuán）、原料（yuánliào）、资源（zīyuán）

● **做一做**：从上表中选择合适的词语填空

（1）这种管子是_____管，只是从表面上看像塑料。

（2）"中国大妈"一词的产生充分证明中国是_____消费的大国。

（3）豆腐深受中国人的喜爱，制作它的主要_____就是黄豆。

（4）从目前中国能源消费结构来看，_____依然占主导地位。

运用
pplication

背景分析：

　　人类既是环境灾难（zāinàn, disaster）的制造者，也是环境灾难的受害者，更应该是环境灾难的治理（zhìlǐ, to bring under control）者。我们每个人都可以通过选择绿色生活方式来参与环保：节约资源，减少污染；绿色消费，环保选购；垃圾分类，循环（xúnhuán, to cycle）回收；救助物种，保护自然。让我们从一点一滴的环保行为做起。

话题讨论：环保

1. 说说你每天从身边观察到的不环保的行为。

2. 结合自己的经历，谈谈你对环保的认识。

3. 请介绍几件生活中我们可以做到的环保实事。

命题写作：

　　请以"环保，可以这样开始"为题，谈一谈你的看法。尽量用上本课所学的生词，字数不少于100字。

33 以堵治堵——缓解交通有妙招

**Treating congestion with congestion:
A smart way to relieve traffic burden**

请你说说这幅图片反映了什么问题，它对你的生活有何影响。

2 你知道哪些有关交通的词语？请写在下面的横线上，并说说它们分别是什么意思。

本课生词中的：＿＿＿　＿＿＿　＿＿＿　＿＿＿

其他你知道的：<u>堵车</u>　＿＿＿　＿＿＿　＿＿＿

课文
Text

以堵治堵——缓解交通有妙招（744字）　💿 33-1

城市汽车的数量迅速增长，最初还被视为是社会发展、经济繁荣的体现。但很快人们就发现了问题。随着车流量的增加，道路变得格外拥挤，堵车在大城市中已经成了家常便饭。

解决交通拥堵的问题就要减少单位面积道路内的汽车数量，新建或

生词 🔊 33-2

1. 缓解　huǎnjiě
   v. to alleviate, to ease up

* 2. 招（儿）　zhāo(r)
   n. trick, move, method

3. 繁荣　fánróng
   adj. prosperous, thriving

4. 体现　tǐxiàn
   v. to manifest, to reflect

5. 拥挤　yōngjǐ
   adj. crowded, congested

* 6. 家常　jiācháng
   n. daily life of a family

7. 面积　miànjī
   n. area, space

加宽道路被公认为最基本的方法。但事实证明这只是我们美好的主观愿望，道路扩建的速度远远跟不上车流量增加的速度，面积的增加并未使道路空出空间来，甚至还会无形之中鼓励更多的司机开车上路，使得市中心的道路更加拥挤。

那么，如何根治交通拥堵呢？这里我们不妨听听佩·詹森的故事。

詹森一到欧洲环境保护署交通部工作，就接到了研究如何解决城市拥堵问题的任务。于是，他开始展开调查，研究收集上来的数据，归纳问题特点，并虚心咨询了有关专家。

九月中旬的一天早晨，詹森照常提前出门赶在早高峰之前去交通部。他看到一个健身的人慢跑通过一个有过街天桥的路口时，为图省事没上天桥，而是横穿马路。结果，他被一辆车撞倒在地，虽然最后他只是受了点轻伤，而且有保险可以赔偿，但司机还是被吓得不轻。

不过这件事倒是给了詹森启发：开车出行是为了省时省力，但如果情况相反呢？他决定要改变市民出行的观念，反其道而行之——让城市先堵起来，给司机制造麻烦，以堵治堵。

经过多次努力，政府批准了他提出的改革措施，比如，增设红绿灯，让车辆不得不走走停停；在主要十字路口取消地下通道，让行人从地下重返地面；在购物广场、商务大厦

8.	宽	kuān	adj. wide, broad
9.	主观	zhǔguān	adj. subjective
10.	扩(大)	kuò(dà)	v. to enlarge, to expand, to broaden
*11.	根治	gēnzhì	v. to cure once and for all
*12.	不妨	bùfáng	adv. might as well
13.	展开	zhǎnkāi	v. to launch, to set off, to carry out
14.	归纳	guīnà	v. to infer, to sum up
15.	虚心	xūxīn	adj. open-minded, modest
16.	咨询	zīxún	v. to consult, to seek advice
17.	中旬	zhōngxún	n. middle ten days of a month
18.	照常	zhàocháng	adv. as usual
19.	健身	jiànshēn	v. to keep fit, to work out
*20.	图	tú	v. to covet, to be after
21.	受(伤)	shòu (shāng)	v. to be hurt, to be injured
22.	保险	bǎoxiǎn	n. insurance
23.	赔偿	péicháng	v. to compensate, to indemnify
24.	政府	zhèngfǔ	n. government
25.	批准	pīzhǔn	v. to ratify, to approve
26.	改革	gǎigé	v. to reform
27.	取消	qǔxiāo	v. to cancel, to call off
28.	行人	xíngrén	n. pedestrian
29.	广场	guǎngchǎng	n. square, plaza
30.	商务	shāngwù	n. business affairs
31.	大厦	dàshà	n. large building, mansion

的附近不建停车场等。同时，大力发展公共交通。

半年过去了，虽然市民们有些抱怨，但效果非常明显，自愿放弃开私家车出门的人越来越多。这也难怪，与其堵在路上浪费时间和汽油，污染环境，倒不如改乘公交出行。这样一来，道路拥堵大为缓解。

城市本是为人而建，如今却被汽车占有，詹森的目标很明确，就是期待能够解放城市，使之更适合人类生活。

改编自《读者》2012年第8期

32.	自愿	zìyuàn	v. to volunteer (to do sth.)
33.	难怪	nánguài	v. to be understandable, to be reasonable
34.	与其	yǔqí	conj. (would rather…) than, rather than
35.	汽油	qìyóu	n. gasoline
36.	明确	míngquè	adj. clear and definite, explicit
37.	期待	qīdài	v. to look forward to
*38.	解放	jiěfàng	v. to liberate, to free

专有名词

| 1. | 佩·詹森 | Pèi Zhānsēn | Pay Jensen, name of a person |
| 2. | 欧洲环境保护署 | Ōuzhōu Huánjìng Bǎohù Shǔ | European Environment Agency |

注释（一）词语例释

Notes 1 照常

"照常"，动词，意思是"跟平常一样"。例如：

（1）虽然战争临近，但这里的日常生活，一切照常。

（2）大火对东区的商业活动没有造成大的影响，区内商业活动照常。

"照常"还是副词，表示情况继续不变。例如：

（3）在东方广场的迎新活动照常举行。

（4）九月中旬的一天早晨，詹森照常提前出门赶在早高峰之前去交通部。

● **练一练：**完成句子或对话

（1）刘老师从北京回来后，_____。（照常）

（2）A: 王医生，_____吗？（照常）

B: 一般来说，手术后三个月就可以参加一般的运动了。

（3）A: 快过年了，不知道胡同口的那家超市春节还开不开？

B: _____。（照常）

2 难怪

"难怪"，动词，意思是"不应当批评或抱怨"，带有理解或原谅的语气。例如：

（1）这也难怪，他每天那么忙，哪儿有时间操心孩子的事啊！

（2）这也难怪，与其堵在路上浪费时间和汽油，污染环境，倒不如改乘公交出行。

"难怪"还是副词，表示明白了原因，对某种情况就不再觉得奇怪了。例如：

（3）你的抽屉真乱，难怪总是找不到东西。

（4）他都18岁了，还不敢一个人走夜路，难怪大家都叫他胆小鬼。

● **练一练**：完成句子或对话

（1）这也难怪，_____。

（2）你一点儿也不理解他的想法，_____。（难怪）

（3）A: 李岩和我是小学同学，我们认识快20年了。

B: _____。（难怪）

3 与其

"与其"，连词，比较两种需要选择的情况时，"与其"用在放弃的一面，后面常与"不如""宁可"等搭配使用。例如：

（1）与其说是采访，不如说是向他学习。

（2）与其找个不认真的小时工，我宁可自己打扫。

（3）这也难怪，与其堵在路上浪费时间和汽油，污染环境，倒不如改乘公交出行。

● **练一练**：完成句子或对话

（1）那些赶时髦的消费者，_____，不如说是买牌子。（与其）

（2）_____，我宁可相信是他运气好。（与其）

（3）A: 我们在这儿等公交车吧，下站就是物美超市。

B: 这么近，_____。（与其）

（二）词语搭配

动词	+	宾语
缓解		压力/病情/疼痛/（紧张）情绪/交通/气氛
取消		资格/会议/计划/比赛/活动/成绩/限制/约会
定语	**+**	**中心语**
主观的		愿望/意见/办法/因素/态度/判断/喜好/想象
繁荣的		国家/地区/城市/经济/时代/文化/景象/市场/社会
状语	**+**	**中心语**
自愿（地）		参加/报名/退学/担任/放弃/从事
虚心（地）		请教/学习/咨询/接受（批评）/吸取（教训）
主语	**+**	**谓语**
社会/制度/政治/经济/技术/课程/工资		改革
交通/道路/车厢/住房/城市/车站		拥挤

（三）词语辨析

■ 表现—体现

	表现	体现
共同点	都是动词，都有显示出来的意思。	
	如：这部电影表现/体现出鲜明的时代特点。	
不同点	1. 侧重反映人或事物的某种风格、感情、态度等。	1. 强调某种现象、性质或思想、精神等通过某人或事物具体表现出来。
	如：他总是乐呵呵的，对什么事都表现得很乐观。	如：不同文化的差异在语言特别是词语上体现得最突出。

	表现	体现
不同点	2. 还有故意显示自己的优点、长处的意思，多含贬义。	2. 没有这个意思。
	如：为了得到领导的欣赏，他拼命地表现自己。	
	3. 还可做名词，指言语行动的状况。	3. 没有这个用法。
	如：我们对你的表现很满意，你下周一能来上班吗？	

● **做一做：**选词填空

	表现	体现
（1）用表格来说明问题是一种有条理的思考方法的_____。	×	✓
（2）人们一直认为，哭是胆小、软弱的_____。		
（3）丽丽是不会错过这个在大家面前_____自己的机会的。		
（4）人生的价值不_____在你口袋里有多少钱，而在于你为社会做出了多少贡献。		

练习 1 选择合适的词语填空
Exercises

保险　缓解　赔偿　拥挤　咨询　展开

❶ 每当体育馆有比赛举行，周围的交通就会出现_____情况。

❷ 手术有风险，小明父母_____了许多专家后，还是决定做。

❸ 为了赢得顾客，双方一定会在服务方面_____竞争。

❹ 小李办事太马虎，你派他去可不太_____。

❺ 车的问题已经处理好了，保险公司正在办理_____手续。

❻ 道路修通后，灾民饮水困难的问题得到了_____。

2 选择正确答案

① 学校规定，旷课达到60节以上的学生_____其考试的资格。

(A. 取消　B. 消失)

② 汽油明天要涨价了，_____加油站又有车在排队加油呢。

(A. 难怪　B. 难道)

③ 一个好的领导能_____听取不同的意见。　　(A. 谦虚　B. 虚心)

④ 调查发现，有60%的人_____表示愿意选择公交出行。

(A. 明确　B. 清楚)

3 画线连接可以搭配的词语

	（1）			（2）	
展开	影响		缓解		胜利
扩大	方案		取消		矛盾
归纳	辩论		赔偿		限制
批准	观点		期待		损失

4 根据下面的提示词复述课文内容

内容提示	重点词语	课文复述
城市交通的问题	拥堵、新建/加宽道路、跟不上	
启发詹森的一件事	照常、健身、图省事、撞倒、受伤	
詹森的妙招及其效果	增设、红绿灯、取消、通道、行人、难怪、与其、公交、缓解	

扩展
xpansion

话题	HSK（五级）话题分类词语
交通	卡车（kǎchē）、列车（lièchē）、摩托车（mótuōchē）、行人（xíngrén）、车厢（chēxiāng）、车库（chēkù）、拐弯（guǎiwān）、绕（rào）、长途（chángtú）、运输（yùnshū）、汽油（qìyóu）、罚款（fá kuǎn）

● **做一做**：从上表中选择合适的词语填空

（1）列车长办公室在9号_____，请到那儿办理补票手续。

（2）刚考下驾照时，他陪我到郊外练车，_____、倒车、停车，没一个月我就敢自己上路了。

（3）月亮_____地球一圈的真实时间是27日7小时43分11秒。

（4）这个交通标志表示禁止停车，在这儿停车是要被_____的。

运用
pplication

背景分析：

当今世界各大城市的交通状况（zhuàngkuàng, condition）都不容（bùróng, to not allow）乐观，道路拥挤是各国普遍存在的城市病。各国交通部门为缓解交通的压力，想出的办法可谓多种多样：英国伦敦向车辆收取"交通拥堵费"；中国上海为控制新增车辆的数量，采取了号牌拍卖（pāimài, to auction）的方式，价高者得；北京则采用摇号购车的方式，并执行（zhíxíng, to carry out）了限号上路的规定；而日本东京大力发展公共交通，由于出租车或私家车的使用费用较高，东京市民普遍选择公交出行。

话题讨论：出行方式

1. 你们国家道路交通情况怎么样？

2. 你平时出行一般采用何种方式？你有私家车吗？使用情况如何？

3. 你认为造成交通拥堵现象的主要原因是什么？应该如何解决？

命题写作：

请以"绿色出行，从我做起"为题，谈一谈你对治理交通拥堵的看法。尽量用上本课所学的生词，字数不少于100字。

亲近自然

Getting close to the nature

34 鸟儿的护肤术
How birds take care of their feathers

请看下面的图片，试着找出本课跟它们有关的生词。

生词：<u>池塘</u> _____ _____ _____

2 说起鸟儿，你会想到它们的哪些特征？请给老师和同学们讲一讲。

课文
Text

鸟儿的护肤术 （661字） 🔘 34-1

　　大家都接触过鸟儿吧？那你知道鸟儿最重要的特征是什么吗？是有翅膀会飞？还是吃昆虫？

　　作为一只鸟儿，不管是天空中飞的，陆地上走的，或者能入水的，都必须拥有羽毛。没错儿，区分鸟儿和其他动物的唯一特征就是羽毛，而不是会不会飞！羽毛的作用很多，既可以保暖，又可以保护皮肤；羽毛上的颜色和斑还能充当保护色；当然，更关键的是，羽毛有助于飞行；甚

生词 🔘 34-2

1. 接触　jiēchù
   v. to contact, to get in touch with
2. 特征　tèzhēng
   n. feature, characteristic
3. 翅膀　chìbǎng　n. wing
4. 昆虫　kūnchóng　n. insect
5. 天空　tiānkōng　n. sky
*6. 区分　qūfēn
   v. to distinguish, to differentiate
7. 唯一　wéiyī　adj. only, sole
*8. 斑　bān　n. spot, speckle, stripe
*9. 充当　chōngdāng
   v. to serve as, to play the part of

128

至还有一些鸟儿的部分羽毛有"触觉"。总之，在鸟儿的生活中，羽毛充当着十分重要的角色。所以，鸟儿非常爱惜羽毛，每天都会花很长时间来保养自己的"羽衣"。

整理羽毛是保养的基本功，它们只要有时间，就会情不自禁地背过头去，反复地啄着羽毛，就像随身带了一把梳子梳头发一样，顺便上上油，让羽毛更光滑。另外，鸟儿在理毛的时候，还会抓出一点儿寄生虫。

毫无疑问，洗澡也是保养的一大基本项目。不过，鸟儿洗澡用不着肥皂，而且不同种类的鸟儿选择的"澡堂"也不一样，概括来说，就是以方便为原则。比如，海鸟在岛屿上生活，就会选择海水；知更鸟喜欢路旁的浅水坑；寒带的鸟呢，因为江河池塘不好找，只好以雪代水；而老鹰的洗澡方式更是直接，它们会在雨中张开双翅痛快地迎接洗礼！沙浴也是一些鸟儿喜欢的保养方式。所谓沙

10. 总之　zǒngzhī
conj. in short, in brief

11. 角色　juésè　n. role, part

12. 爱惜　àixī　v. to cherish, to treasure

* 13. 保养　bǎoyǎng
v. to take good care of,
to maintain

14. 反复　fǎnfù
adv. repeatedly, over and over
again

* 15. 啄　zhuó　v. to peck

16. 随身　suíshēn
adj. (to carry/take…) with one,
personally

17. 梳子　shūzi　n. comb

18. 光滑　guānghuá
adj. smooth, glossy

19. 抓　zhuā
v. to grab, to seize

* 20. 寄生　jìshēng
v. to live on another animal or
plant, to be parasitic

21. 肥皂　féizào　n. soap

22. 种类　zhǒnglèi　n. kind, category

23. 概括　gàikuò
adj./v. brief and to the point; to
summarize, to sum up

24. 岛屿　dǎoyǔ　n. island

* 25. 知更鸟　zhīgēngniǎo
n. robin, redbreast

* 26. 坑　kēng　n. pit, hollow

27. 池塘　chítáng　n. pond

* 28. 老鹰　lǎoyīng　n. eagle, hawk

29. 痛快　tòngkuài
adj. to one's heart's content

30. 迎接　yíngjiē
v. to receive, to greet,
to welcome

* 31. 洗礼　xǐlǐ
n. baptism, washing ceremony

浴，就是用沙子洗澡，它们之所以放弃了用水洗澡，在很大程度上和它们的生活环境有关，它们大多生活在沙漠等干燥的环境，爱在地面上活动。

另外，睡眠是鸟儿们最佳的保养方式，虽然我们很少看到睡眠中的鸟儿，那是因为它们通常会寻找一处秘密的地方休息。大多数鸟儿1天大约睡8小时，有些鸟儿差不多要睡1天，而另一些鸟儿几乎一点儿觉也不用睡。

改编自《科学松鼠会》，作者：临渊

*32.	沙子	shāzi	n. sand
33.	干燥	gānzào	adj. dry, arid
34.	秘密	mìmì	adj./n. secret

注释（一）词语例释
Notes 1 总之

"总之"，连词，概括前面的内容，总的来说。例如：

（1）暑假我可能去上海、南京，还有杭州，总之，想去南方几个城市转转。

（2）总之，网络的确带给我们以前无法想象的方便，但同时它也带来了一定的危害。

（3）总之，在鸟儿的生活中，羽毛充当着十分重要的角色。

● **练一练**：完成句子或对话

（1）不管你去不去，＿＿＿＿＿＿＿＿＿＿＿＿＿＿＿＿＿＿＿。（总之）

（2）A: 你怎么能把汉语学得这么好？

B: ＿＿＿＿＿＿＿＿＿＿＿＿＿＿＿＿＿＿＿＿＿。（总之）

（3）＿＿＿＿＿＿＿＿＿＿＿＿＿＿＿＿＿，总之，中国菜有很多做法。

2 动词+过

1. 表示通过动作，人或物体改变方向。例如：

（1）他转过身，一句话也不说。

（2）……它们只要有时间，就会情不自禁地背过头去，反复地啄着羽毛，……

2. 表示通过动作，人或物体移动位置。例如：

（3）接过书的那一刻，老王突然明白了自己失败的原因。

（4）短短的几分钟里，我的脑子里闪过了很多想法。

● 练一练：给"过"选择适当的位置

（1）你回A头B就可以看见C我D了。

（2）他递A一块毛巾B给C我擦D汗。

（3）青年走A到B门口，转C身D说："我们会再见的。"

3 动词+开

表示舒展。例如：

（1）猴子突然站了起来，张开手臂（shǒubì, arm），抱住了管理员。

（2）《清明上河图》在我们的面前慢慢展开。

（3）而老鹰的洗澡方式更是直接，它们会在雨中张开双翅痛快地迎接洗礼！

● 练一练：给"开"选择适当的位置

（1）A回家时，妈妈B张C双臂D迎接我。

（2）他把纸铺（pū, to spread, to lay）A，笔拿B好，准备C练习D书法。

（3）那件事情已经都A传B了C，大家都知道D了。

（二）词语搭配

动词	+	宾语
接触		动物/孩子/病人 大自然/社会/新信息
爱惜		羽毛/身体/生命/粮食

定语	+	中心语
明显/突出/唯一（的）		特征
唯一（的）		办法/选择/结果/爱/角色
光滑的		表面/皮肤/羽毛
干燥的		表面/皮肤/环境/空气/气候
状语	**+**	**中心语**
痛快地		哭/笑/吃/喝/骂
热情地		迎接
数量词	**+**	**名词**
一只/一双/一对		翅膀
一把		梳子

（三）词语辨析

■ 反复—重复

		反复	重复
共同点	都有不止一次的意思。		
	如：这件事情你已经反复/重复说过好几遍了。		
不同点	1. 副词，一遍一遍地。		1. 动词，指又一次做同样的事情。
	如：它们只要一有时间，就会情不自禁地背过头去，反复地啄着羽毛。		如：我没听清，请你再重复一遍。
	2. 动词，不利的情况重新出现。		2. 动词，同样的东西再次出现。
	如：这种病容易反复。		如：这两个练习题重复了。
	3. 名词，重复出现的不好的情况。		3. 没有这个用法。
	如：对这个问题，他思想上可能还有反复。		

● 做一做：选词填空

	反复	重复
（1）我已经_____讲了多少次，你竟然还是忘了！	✓	✓
（2）这个实验我已经_____过两次了。		
（3）经过_____实验，他们终于成功了。		
（4）他的病情出现了_____，情况不太乐观。		

练习
Exercises

1 选择合适的词语填空

昆虫　　秘密　　概括　　光滑　　痛快　　唯一

① 那件事将是我一生中_____的遗憾。

② 李将军这次去北京的行动是_____的。

③ 你好容易来一趟，我们今晚一定要喝个_____！

④ 有些_____和鸟类一样有翅膀。

⑤ 经常使用我们的肥皂，您的皮肤将变得更加_____。

⑥ 这次会议的精神可以_____为三点。

2 选择正确答案

① 我们要_____粮食，不要浪费。　　　　　　　　（A.爱惜　　B.爱护）

② 她总是_____带着伞，说"不怕一万，就怕万一"。

　　　　　　　　　　　　　　　　　　　　　　（A.随手　　B.随身）

③ 警察一把把小偷给_____住了。　　　　　　　　（A.拿　　B.抓）

④ 这个地区的动植物_____多，数量大。　　　　　（A.种类　　B.类型）

3 画线连接可以搭配的词语

（1）		（2）	
一只	肥皂	接触	大自然
一把	翅膀	迎接	财物
一块	昆虫	爱惜	机会
一双	梳子	抓住	挑战

4 根据下面的提示词复述课文内容

内容提示	重点词语	课文复述
鸟儿的特征	接触、特征、翅膀、昆虫、唯一	
羽毛的作用	既……又……、还能、关键、甚至、总之	
保养羽毛的方法	背过头去、反复、随身、抓、种类、概括、张开、干燥、秘密	

扩展
Expansion

话题	HSK（五级）话题分类词语
地理环境	天空（tiānkōng）、陆地（lùdì）、土地（tǔdì）、池塘（chítáng）、沙漠（shāmò）、沙滩（shātān）、岛屿（dǎoyǔ）、岸（àn）、洞（dòng）、木头（mùtou）、石头（shítou）、灰尘（huīchén）

● **做一做：** 从上表中选择合适的词语填空

（1）_____是重要的自然资源，没有它，人类无法得到食物。

（2）他坐着自造的小船很轻松地就到达了对_____。

（3）_____排球是一种很有意思的运动。

（4）孩子们在树林里玩儿，一个孩子不小心把裤子刮破了一个_____。

运用
plication

背景分析：

　　我们常说，动物是人类的朋友。往大里说，动物和人类一起，和谐（héxié，harmonious）发展，形成了生物界的生态平衡；往小里说，生活中有很多人养了宠物，给自己带来温暖和欢乐。现代社会，无奇不有，连宠物都由原来一般的猫、狗、鸟等，发展到越来越多的种类。当然，宠物为我们的生活增添了色彩，但同样也可能带来一些问题。

话题讨论：养宠物

　　1.你养过宠物吗？你对养宠物有什么看法？

　　2.如果你养过或正在养宠物，请说说你和宠物的故事。

　　3.如果你对养宠物没有兴趣，请说明原因。

命题写作：

　　请以"我与/看宠物"为题，谈一谈你的看法。尽量用上本课所学的生词，字数不少于100字。

35 植物会出汗
Plants also sweat

请看下面的图片，试着找出本课跟它们有关的生词。

（1）　　　　　　　　（2）

生词：秩序 ＿＿＿＿　　　＿＿＿＿　＿＿＿＿

2 请问问你的同学或朋友，他们在炎热的夏天运动之后，常常用什么办法给自己降温。

降温的办法	是否有效	优点	缺点
吃冰激凌	是	感觉降温很快	可能对健康不利

课文
Text

植物会出汗 （604字） 🔘 *35-1*

　　炎热的夏天，踢完一场球赛，每个队员都已经是汗如雨下。如果这个时候，能到大树下歇一歇，喝口凉开水，吃个冰激凌，放松放松肌肉，缓解一下疲劳，那一定是件美事，可以很快恢复活力。不过，你知道吗，我们之所以能在大树下享受这种湿润荫凉，也是因为大树在"出汗"呢！

　　人体要保持相对稳定的温度，一旦温度上升，大脑就会指挥我们的

生词 🔘 *35-2*

*1. 炎热　yánrè
　　　adj. scorching, burning hot
2. 歇　xiē
　　　v. to rest, to take a rest
3. 开水　kāishuǐ　n. boiled water
4. 冰激凌　bīngjīlíng　n. ice cream
5. 肌肉　jīròu　n. muscle
6. 恢复　huīfù　v. to recover, to regain
7. 湿润　shīrùn　adj. moist, humid
*8. 荫凉　yìnliáng　adj. shady and cool
9. 指挥　zhǐhuī
　　　v. to command, to direct

身体赶快出汗，这时所有汗腺开始工作，汗水就从毛孔里冒了出来。大树出的"汗"，通常是从叶片的气孔里冒出来的，不过，这种"出汗"可不是为了降低温度，而是为了运输养分。

我们都知道这样的常识——植物的根会吸收养分和水分，但是你有没有想过，植物是怎么控制这些成分，把它们运输到十几米甚至上百米的树梢的呢？

最初人们认为大树是通过毛细作用来提水的。所谓"毛细作用"，简单来说，就是水会顺着很细很细的管子向上"爬"，我们在家可以用一个比较细的玻璃管体验一下。玻璃管越细，水爬升的高度就越高。可是，经过测验计算发现，以大树输送管道的尺寸产生的毛细作用，根本无法把水分送到几十米高的地方。

实际上，大树利用的是枝干顶端的那些叶片。叶子通过不停地向空气中释放水汽，迫使树干中的水分自动前来补充，这样节节传递，就像是把树根吸收的水分给抽了上来。因为跟蒸腾作用有关，这种特殊的提升力就被称为"蒸腾拉力"。不过，这个

10.	赶快	gǎnkuài
		adv. at once, hurriedly
*11.	汗腺	hànxiàn n. sweat gland
*12.	毛孔	máokǒng n. pore
*13.	冒	mào
		v. to emit, to give off, to send out
14.	片	piàn n. flat and thin piece
15.	常识	chángshí
		n. common knowledge
16.	根	gēn n. root
17.	吸收	xīshōu v. to absorb, to take in
18.	控制	kòngzhì
		v. to control, to take command of
19.	成分	chéngfèn
		n. element, component, ingredient
*20.	梢	shāo
		n. tip, thin end of a twig, etc.
21.	管子	guǎnzi n. tube, pipe
22.	玻璃	bōli n. glass
23.	测验	cèyàn v. to test
24.	根本	gēnběn
		adv. (often used in the negative) at all, simply
*25.	枝干	zhīgàn n. branch, limb
*26.	释放	shìfàng v. to release, to emit
27.	自动	zìdòng
		adv. voluntarily, spontaneously
28.	补充	bǔchōng
		v. to supplement, to replenish
*29.	抽	chōu
		v. to draw, to obtain by drawing
*30.	蒸腾	zhēngténg
		v. (of steam) to rise, to vaporize
31.	特殊	tèshū
		adj. special, particular

大树内部的供水系统具体的运转状况是怎么样的，它们遵守的是一种什么样的秩序，为什么会产生如此巨大的拉力，到目前还是个谜。

———————

改编自《科学松鼠会》，作者：史军

32. 内部	nèibù
	n. inside, interior, inner part
33. 系统	xìtǒng　n. system
34. 状况	zhuàngkuàng
	n. condition, situation, state
35. 秩序	zhìxù　n. order, orderly state

注释（一）词语例释

Notes　**1**　赶快

"赶快"，副词，意思是"抓紧时间、加快速度"。例如：

（1）我下个月要搬家，得赶快找房子。

（2）这份材料下午开会要用，你赶快把它复印一下。

（3）……一旦温度上升，大脑就会指挥我们的身体赶快出汗，……

● 练一练：完成句子或对话

（1）＿＿＿＿＿＿＿＿＿＿＿＿＿＿＿＿＿＿，要不该赶上堵车了。　（赶快）

（2）A: ＿＿＿＿＿＿＿＿＿＿＿＿＿＿＿＿＿。　（赶快）

　　　B: 好，我马上就收拾好了。

（3）A: 你怎么还在玩儿游戏？火车票预定了吗？

　　　B: ＿＿＿＿＿＿＿＿＿＿＿＿＿＿＿＿＿。　（赶快）

2　片

"片"，名词，平而薄的东西，一般不是太大。例如：

（1）瓶子里装着满满的石头、玻璃碎片和沙子。

（2）大树出的"汗"，通常是从叶片的气孔里冒出来的，……

"片"还是量词，用于成片的东西；也用于声音、景色等。例如：

（3）窗外有一棵大树，秋风中，叶子一片片地掉落下来。

（4）同学们听了，发出一片热烈的欢呼声。

● 练一练：完成句子或对话

（1）A: 我来切菜吧，土豆怎么切？

B: _____。（片—名词）

（2）今天早上我吃了 _____。（片—量词）

（3）A: 这药怎么吃？

B: _____。（片—量词）

3 根本

"根本"，名词，事物最重要的部分。例如：

（1）教育是国家的根本。

（2）这个办法只能救急，不能从根本上解决问题。

"根本"还是形容词，意思是"主要的、最重要的、起决定作用的"。

例如：

（3）谈判还算顺利，一些根本的问题都谈好了。

（4）政府工作应从人民的根本利益出发。

"根本"也是副词，表示从头到尾、始终，多用于否定句中。例如：

（5）有时候我会梦见参加考试，可是却发现自己根本读不懂考试的题目。

（6）可是，经过测验计算发现，以大树输送管道的尺寸产生的毛细作用，根本无法把水分送到几十米高的地方。

"根本"做副词时还表示彻底、完全。例如：

（7）事情已经根本解决了。

（8）他根本就是在故意找我们的麻烦。

● 练一练：完成句子或对话

（1）A: 你觉得他说的话有道理吗？

B: _____。（根本）

（2）搬家要整理的东西太多了，_____。（根本）

（3）秦国人在赵国四处散布谣言，说秦军最怕赵括，_____。（根本）

（二）词语搭配

动词	+	宾语
感觉/缓解		疲劳
指挥		士兵/军队
补充		信息/营养/人员/资金
遵守/破坏		秩序
状语	**+**	**中心语**
有效/直接/大量/完全		吸收
自动		离开/辞职/打开/燃烧
中心语	**+**	**补语**
歇		一会儿/两天
恢复		过来/得很快
数量词	**+**	**名词**
一壶/杯/瓶		开水
一片		面包/西瓜/药/草地/树林/天空/欢笑声
一根/支		管子
一块		玻璃

（三）词语辨析

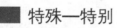 特殊—特别

	特殊	特别
共同点	做形容词时，都有和一般不一样的意思。	
	如：对我来说，他是一个特殊/特别的人。	
不同点	1. 多用于书面语。	1. 口语和书面语均可使用。
	如：因为跟蒸腾作用有关，这种特殊的提升力就被称为"蒸腾拉力"。	如：她穿衣服总是很特别。
	2. 没有这个用法。	2. 还可做副词。意思是"格外"。
		如：我特别喜欢学中文，尤其是汉字。

● 做一做：选词填空

		特殊	特别
（1）治疗这种病需要一种_____的药。		✓	✓
（2）这种情况比较_____，我原来没见过。			
（3）我喜欢北京，_____是北京的秋天。			
（4）夏天运动后在大树下坐一会儿，喝口凉开水，_____舒服。			

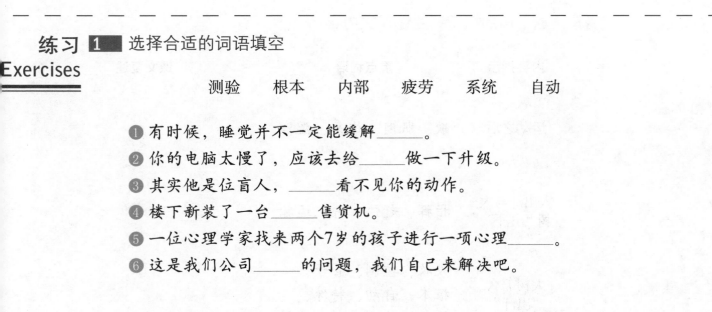

练习 **1** 选择合适的词语填空

Exercises

测验　　根本　　内部　　疲劳　　系统　　自动

❶ 有时候，睡觉并不一定能缓解_____。

❷ 你的电脑太慢了，应该去给_____做一下升级。

❸ 其实他是位盲人，_____看不见你的动作。

❹ 楼下新装了一台_____售货机。

❺ 一位心理学家找来两个7岁的孩子进行一项心理_____。

❻ 这是我们公司_____的问题，我们自己来解决吧。

2 选择正确答案

❶ 这是你第几次错了？！怎么不_____教训呢？　　　　（A. 吸取　B. 吸收）

❷ 你太激动了，最好_____一下你的情绪。　　　　　　（A. 限制　B. 控制）

❸ 是他_____提出要去参加这次比赛的。　　　　　　　（A. 自动　B. 主动）

❹ 今天的比赛_____良好，没有球迷闹事。　　　　　　（A. 秩序　B. 规则）

3 ▨ 画线连接可以搭配的词语

（1）		（2）	
一壶	玻璃	恢复	水分
一根	开水	了解	秩序
一块	天空	补充	状况
一片	管子	遵守	疲劳

4 ▨ 根据下面的提示词复述课文内容

内容提示	重点词语	课文复述
运动之后	歇、肌肉、恢复、湿润	
人出汗与大树"出汗"	指挥、赶快、片、运输	
大树怎么"出汗"	吸收、控制、管子、根本、自动、特殊、状况、秩序	

扩展
Expansion

话题	HSK（五级）话题分类词语
动物	老鼠（lǎoshǔ）、蜜蜂（mìfēng）、蛇（shé）、狮子（shīzi）、兔子（tùzi）、大象（dàxiàng）、猴子（hóuzi）、猪（zhū）、蝴蝶（húdié）、昆虫（kūnchóng）
植物	小麦（xiǎomài）、竹子（zhúzi）、根（gēn）、果实（guǒshí）

● **做一做**：从上表中选择合适的词语填空

（1）猫和_____是天敌。

（2）"蜂拥而至"这个成语是形容很多人像_____似的一拥而来。

（3）冬天，一位农夫在路边看到一条快要冻死的_____，觉得它很
可怜。

（4）_____是世界上产量第二的粮食，仅次于玉米。

运用
Application

背景分析：

　　植物在我们的生活中十分常见，也十分重要，花
草树木，让我们的世界变得更美丽、更舒适。更重要
的是，植物具有一种叫作"光合作用"的能力——它
可以借助光能及我们人类和动物体内所不具备的叶绿
素（yèlǜsù, chlorophyll），利用水、无机盐（wújīyán,
inorganic salt）和二氧化碳（èryǎnghuàtàn, carbon
dioxide）进行作用，释放出氧气（yǎngqì, oxygen）。如
果没有植物，我们将无法生存。

话题讨论：植物的功能

　　1.你喜欢什么样的植物？

　　2.在你的国家最常见或最有名的植物是什么？

　　3.在你的生活中，植物起了什么作用？

命题写作：

　　请以"我所知道的一种植物"为题，谈一谈你对植物的了解。尽量用上本课
所学的生词，字数不少于100字。

36

老舍与养花
Lao She and his flowers

热身 1
Warm-up

你知道哪些有关养花的词语，请写在下面的横线上，并说说它们分别是什么意思。

名词：<u>花草</u>、<u>花盆</u>　　量词：____、____

动词：____、____　　形容词：____、____

2 请你说出下图中植物各部分的名称。你养过花吗？介绍一下你在这方面的经验。

课文
Text
　老舍与养花（799字）　　💿 *36-1*

　　作家老舍先生爱花，他养的花很多，满满摆了一院子。可除非是那些好种易活、自己会奋斗的花草，否则他是不养的。因为他知道北京的气候对养花来说，不算很好，想把南方的名花养活并非易事。

　　老舍把养花当作一种生活乐趣。他不在乎花开得大小好坏，只要开花，他就高兴。每天老舍像好朋友似的照管着花草。工作的时候，经常写几十个字，就到院中去转转，瞧瞧这棵，看看那朵，有时拿起剪刀给它

生词 💿 *36-2*

1. 养　　yǎng
　　v. to raise, to keep, to grow
2. 除非　chúfēi　conj. only if, unless
3. 奋斗　fèndòu
　　v. to fight, to struggle, to strive
*4. 乐趣　lèqù　n. joy, pleasure
5. 在乎　zàihu　v. to care, to mind
6. 朵　　duǒ
　　m. used for flowers and clouds
7. 剪刀　jiǎndāo　n. scissors

们剪剪枝，有时蹲下捡几块小石头放在花盆里做点儿装饰，然后回到屋中再写一会儿，然后再出去，就这样脑力和体力很好地结合，身心也得到放松。

写作是件艰苦的工作，养花也是如此。有时赶上狂风暴雨，情况紧急，他就得劳驾全家人抢救花草。几百盆花，要很快地抢到屋里去，累得腰酸腿疼，热汗直流。第二天，天气好了，又得一盆盆地搬出去。可是，他并不抱怨，在他看来，任何事都要有付出，不然怎么会有回报？这是生活的真理。

一来二去，他慢慢地总结出一些养花的经验：有的花喜干，就别多浇水；有的花喜欢潮湿的环境，就别放在太阳地里。给花换盆剪枝施肥的活儿他越做越熟练，花生病长虫他也知道如何应付了。看着院子里那鲜艳的花朵，老舍自豪地说，"不是乱吹，这就是知识啊！多得些知识，一定不是坏事。"

老舍很有爱心，更懂得快乐要分享。每到昙花开放的时候，他就约上几位朋友来家里赏花庆祝。花分根了，一棵分为几棵，他会毫无保留地送给朋友们。看着友人高兴地拿走自己的劳动果实，老舍心里十分欢喜。有一次，送牛奶的小伙子进门就夸"好香"，这让老舍先生感到格外高兴。

8. 捡　jiǎn　v. to pick up, to collect
9. 装饰　zhuāngshì　n. decoration
10. 结合　jiéhé
　　v. to combine, to integrate
*11. 暴雨　bàoyǔ　n. rainstorm
12. 紧急　jǐnjí　adj. urgent, emergent
13. 劳驾　láo jià
　　v. to trouble sb. (to do sth.)
*14. 抢救　qiǎngjiù　v. to rescue, to save
15. 腰　yāo　n. waist
16. 直　zhí　adv. continuously, straight
17. 不然　bùrán
　　conj. or else, otherwise
*18. 回报　huíbào
　　v. to repay, to requite
*19. 真理　zhēnlǐ　n. truth
20. 浇　jiāo
　　v. to water, to pour
　　(liquid on sth.)
21. 潮湿　cháoshī　adj. wet, moist
*22. 施肥　shī féi　v. to apply fertilizer
23. 熟练　shúliàn　adj. skilled, practiced
24. 应付　yìngfu
　　v. to handle, to cope with
25. 鲜艳　xiānyàn　adj. bright-colored
26. 自豪　zìháo　adj. proud
27. 吹　chuī　v. to boast, to brag
28. 爱心　āixīn　n. love, compassion
*29. 分享　fēnxiǎng
　　v. to share (good things such as
　　joy and rights)
*30. 昙花　tánhuā
　　n. broad-leaved epiphyllum
31. 庆祝　qìngzhù　v. to celebrate
32. 保留　bǎoliú　v. to reserve, to save

当然，也有伤心的时候。一年夏天，下了暴雨，邻居家的墙倒了，菊花被砸死了一百多棵，这下可把老舍难受坏了，一连几天人们都看不到他脸上的笑容。

"有喜有悲，有笑有泪"，这是老舍对养花、对生活的体验。"我不知道花草们受我的照顾，感谢我不感谢，反正我要感谢它们。"老舍在自己的文章中这样写道。从中我们不难看出老舍先生对大自然的热爱，对生活的热爱。

*33.	菊花	júhuā	n. chrysanthemum
*34.	砸	zá	v. to crush, to smash
35.	悲（伤）	bēi(shāng)	adj. sad, sorrowful
36.	反正	fǎnzhèng	adv. (*used to indicate the same result despite different circumstances*) anyway, no matter what
37.	热爱	rè'ài	v. to love ardently

专有名词

老舍　　Lǎo Shě　　Lao She (1899-1966), pen name of the Chinese writer Shu Qingchun

注释（一）词语例释
Notes 1　除非

"除非"，连词，表示唯一的条件，相当于"只有"，后面常跟"才、否则、不然"搭配使用。例如：

（1）可除非是那些好种易活、自己会奋斗的花草，否则他是不养的。

（2）除非急需一大笔钱，我才会考虑卖了这房子。

"除非"还是介词，表示不计算在内，相当于"除了"。例如：

（3）这种机器，除非李阳，没人修得好。

（4）日常工作他从来不过问，除非极特殊的问题。

● **练一练**：完成句子或对话

（1）他工作时不喜欢别人打扰，＿＿＿＿＿＿，别人的电话他都不接。
（除非）

（2）＿＿＿＿＿＿＿＿＿＿，我平时一般都不看电视。（除非）

（3）A: 这个周末你陪我去看场电影，行吗？

B: 想让我答应你，＿＿＿＿＿＿＿＿＿＿。（除非）

2 直

"直",做副词可以表示一直、径直、直接,后接单音节动词。例如:

(1)这趟车可以直达北京,非常方便。

(2)直到今天,我也不明白他当时为什么发那么大脾气。

"直",还可以表示(动作、行为)连续不停地、不断地。例如:

(3)父亲听说儿子卖了房子,气得直发抖。

(4)几百盆花,要很快地抢到屋里去,累得腰酸腿疼,热汗直流。

● 练一练:指出下列句中的"直"是哪种用法

　　A.直接　　　　B.(动作)连续不停地

(1)他朝我直摇头,我故意装作没看见。　　　　　　　　　　　(　　)

(2)参观者乘电梯可以直达大楼顶层的观光餐厅。　　　　　　　(　　)

(3)早晨6点,闹钟在我头上直响,我真不想起床。　　　　　　(　　)

(4)司机师傅,前边路口直走,别拐弯。　　　　　　　　　　　(　　)

3 反正

"反正",副词,表示情况虽然不同但结果并无区别。例如:

(1)不管你们谁去,反正我不会去。

(2)我不知道花草们受我的照顾,感谢我不感谢,反正我要感谢它们。

"反正"还表示坚决肯定的语气。例如:

(3)你别再说了,反正我是不会考虑的。

(4)算了,反正不是什么要紧事,还是别打扰他们了。

● 练一练:完成句子或对话

(1)你别问那么多了,反正你也_____。

(2)_____,信不信,你随便吧。(反正)

(3)A:这是今年最流行的颜色,你真没眼力。

　　B:_____。(反正)

（二）词语搭配

动词	+	宾语
保留		资格/意见/权利/传统/身份/文件/风俗
应付		情况/领导/工作/敌人/考试/检查/比赛
定语	**+**	**中心语**
鲜艳的		花朵/颜色/色彩/图案
潮湿的		空气/气候/环境/海风/路面/台阶/屋子/衣服
状语	**+**	**中心语**
紧急		集合/行动/出发/通知/处理/降落/宣布
熟练地		读/模仿/使用/计算/控制
中心语	**+**	**补语**
应付		得了/不了/过去
保留		下去/下来
数量	**+**	**中心语**
一朵		花
一把		伞/剪刀

（三）词语辨析

■■■ 应付—处理

	应付	处理
共同点	都是动词，都有对人、对事采取措施、办法的意思。	
	如：依我看，以他现有的经验应付/处理不了目前的工作。	

不同点	1. 侧重表示采取适当的办法来对待人或事。	1. 侧重强调解决问题。
	如：他们会想方设法说服你，你准备好怎么应付他们了吗？	如：严重的环境污染使人们深思该如何处理好人与自然的关系。
	2. 还有办事不认真、不负责，只求表面过得去的意思。	2. 没有这个意思。
	如：小林学习不认真，完全是在应付父母和老师。	
	3. 没有这个意思。	3. 还有安排、处置事物的意思。
		如：洗衣机的包装纸箱，既占地方又没什么用，快处理了吧。
	4. 没有这个意思。	4. 还有减价出售的意思。
		如：这批过季的衣服尽快减价处理吧。

● 做一做：选词填空

	应付	处理
（1）一个星期的迎来送往，她已经有点儿____不了了。	✓	✗
（2）他实在说不出什么，只好随口说："不怎么习惯。"总算____过去了。		
（3）放心吧，海关手续的事我一个人能____。		
（4）我非常尊敬他，但同时也觉得他是个不好____的人。		

练习 **1** 选择合适的词语填空

Exercises

熟练　结合　不然　自豪　庆祝　在乎

❶ 我们的产品改善了许多人的生活，这是我们非常_____的事情。

❷ 这项规定是_____了我校的实际情况而制定的。

❸ 老李对儿子面试没被录取的事显得满不_____。

❹ 国庆节期间，本市会举行大规模的_____活动。

❺ 多亏了这条铁路，_____这么多煤炭怎么运出去？

❻ 我觉得你们的动作好像还不太_____，还得多练习练习。

2 选择正确答案

❶ 一连取得两场胜利，李岩_____得不得了，以为冠军非他莫属了。

(A. 自豪　　B. 骄傲)

❷ 对于他们这种做法，我_____自己的意见。　　(A. 保留　　B. 保存)

❸ 看到五星红旗在赛场上升起，我的眼圈_____了。(A. 潮湿　　B. 湿润)

❹ 他是个工作狂，生活中_____工作还是工作。　(A. 除非　　B. 除了)

3 画线连接可以搭配的词语

（1）		（2）	
结合———实际		气候	熟练
应付　　观点		服装	潮湿
装饰　　街道		情况	紧急
保留　　挑战		动作	鲜艳

4 根据下面的提示词复述课文内容

内容提示	重点词语	课文复述
老舍先生养什么样的花	除非、种（zhòng）、奋斗	
老舍养花的乐趣与辛苦	在乎、剪枝、捡、装饰、结合、紧急、抢救	
老舍养花的经验	喜干、浇水、潮湿、换盆、熟练、长虫、应付	
老舍分享养花的快乐	赏花、庆祝、保留、劳动果实、夸	
老舍为什么感谢花草	有喜有悲、反正、感谢、热爱	

话题	HSK（五级）话题分类词语
行为2	拆（chāi）、撕（sī）、摸（mō）、拍（pāi）、抓（zhuā）、捡（jiǎn）、摘（zhāi）、披（pī）、偷（tōu）、抢（qiǎng）、捐（juān）、扶（fú）、挡（dǎng）、拦（lán）、退（tuì）

● **做一做**：从上表中选择合适的词语填空

（1）知道李阳的困难后，同事们都为他_____款。

（2）产品自售出之日起七日内，发生问题，消费者可以选择_____货。

（3）这个袋子很结实，用手_____不开，去拿把剪刀。

（4）经过四年的植树造林，种草固沙，退化的草原又_____上了绿装。

背景分析：

　　老舍，中国现代著名作家、杰出的语言大师，北京人。正如课文中介绍的那样，老舍一生酷爱养花，是一个热爱生活、热爱大自然、极富生活情趣的人。没有人否认大自然是美丽的，只是有时忙忙碌碌的工作和生活让我们疏忽（shūhū, to neglect, to overlook）这一点。其实，每个人都是地球上的匆匆过客，我们真应该多给自己一点儿时间，停下脚步，去静静地欣赏和感受这美丽的大自然。

话题讨论：**人与自然**

1.描述一个给你留下深刻印象的自然景观，说说你的感受。

2.有人说，大自然和人类就像母子一样，你同意这种说法吗？

3.有人认为人类应该尊重大自然，也有人认为人类可以征服（zhēngfú, to conquer）大自然，你同意哪种观点？

命题写作：

　　请以"人与自然"为题，谈一谈你的看法。尽量用上本课所学的生词，字数不少于100字。

词语总表 Vocabulary

词性对照表 Abbreviations of Parts of Speech

词性 Part of Speech	英文简称 Abbreviation	词性 Part of Speech	英文简称 Abbreviation
名词	n.	副词	adv.
动词	v.	介词	prep.
形容词	adj.	连词	conj.
代词	pron.	助词	part.
数词	num.	叹词	int.
量词	m.	拟声词	onom.
数量词	num.-m.	前缀	pref.
能愿动词	mod.	后缀	suf.

生词 New Words

词语 Word/Phrase	拼音 *Pinyin*	词性 Part of Speech	词义 Meaning	课号 Lesson
A				
爱惜	àixī	v.	to cherish, to treasure	34
爱心	āixīn	n.	love, compassion	36
岸	àn	n.	bank (of a river, lake, etc.), shore, coast	30
暗	àn	adj.	dark, dim	23
B				
把握	bǎwò	n.	assurance, confidence	27
办理	bànlǐ	v.	to handle, to deal with	20
包含	bāohán	v.	to contain, to include	21
薄	báo	adj.	thin	19
保留	bǎoliú	v.	to reserve, to save	36
保险	bǎoxiǎn	n.	insurance	33
报告	bàogào	n.	report	31
报社	bàoshè	n.	newspaper office, headquarters of a newspaper	31
悲（伤）	bēi(shāng)	adj.	sad, sorrowful	36
本科	běnkē	n.	undergraduate education	28

本质	běnzhì	n.	essence, nature, intrinsic quality	30
比例	bǐlì	n.	proportion, scale	30
必然	bìrán	adj.	inevitable, certain	27
编辑	biānjí	n.	editor	31
标志	biāozhì	n.	sign, mark	31
冰激凌	bīngjīlíng	n.	ice cream	35
玻璃	bōli	n.	glass	35
不断	búduàn	adv.	continuously, unceasingly	30
不见得	bújiàndé	adv.	not necessarily, may not	29
补充	bǔchōng	v.	to supplement, to replenish	35
不安	bù'ān	adj.	upset, disturbed	32
不然	bùrán	conj.	or else, otherwise	36
不如	bùrú	v.	to be not as good as, to be inferior to	29
步骤	bùzhòu	n.	step, procedure	26
部门	bùmén	n.	department, section	28
C				
采访	cǎifǎng	v.	to interview	24
参考	cānkǎo	v.	to consult, to refer to	28
操心	cāo xīn	v.	to worry about, to be concerned about	24
册	cè	m.	volume	20
测验	cèyàn	v.	to test	35
常识	chángshí	n.	common knowledge	35
朝	cháo	prep.	towards	25
潮湿	cháoshī	adj.	wet, moist	36
炒	chǎo	v.	to stir-fry	19
彻底	chèdǐ	adj.	thorough, complete	25
沉默	chénmò	v.	to be silent	23
趁	chèn	prep.	to take advantage of, (to do…) at the time when	19
称呼	chēnghu	v./n.	to call, to address; form of address	21
称赞	chēngzàn	v.	to praise, to commend	21
成分	chéngfèn	n.	element, component, ingredient	35
成立	chénglì	v.	to establish, to set up	28
成人	chéngrén	n.	adult	20
成长	chéngzhǎng	v.	to grow up	28
承担	chéngdān	v.	to undertake, to shoulder	24

承认	chéngrèn	v.	to admit, to acknowledge	22
承受	chéngshòu	v.	to bear, to endure	25
池塘	chítáng	n.	pond	34
翅膀	chìbǎng	n.	wing	34
出版	chūbǎn	v.	to publish	20
出色	chūsè	adj.	remarkable, outstanding	26
出示	chūshì	v.	to show, to produce	31
出席	chūxí	v.	to attend, to be present	23
初（级）中（学）	chū (jí) zhōng (xué)	n.	junior high school	28
除非	chúfēi	conj.	only if, unless	36
处理	chǔlǐ	v.	to handle, to deal with	31
闯	chuǎng	v.	to go around (to accomplish certain goals)	24
吹	chuī	v.	to boast, to brag	36
次要	cìyào	adj.	less important, secondary	27
刺激	cìjī	v.	to stimulate, to excite	30
从此	cóngcǐ	adv.	from then on, since then	28
从事	cóngshì	v.	to engage in	20
粗糙	cūcāo	adj.	rough, crude	20
促进	cùjìn	v.	to promote, to accelerate	29
促使	cùshǐ	v.	to urge, to spur, to prompt	29
醋	cù	n.	vinegar	19

D

答应	dāying	v.	to agree, to promise	27
大厦	dàshà	n.	large building, mansion	33
大型	dàxíng	adj.	large-scale	32
担任	dānrèn	v.	to serve as, to hold the post of	23
单纯	dānchún	adj.	simple, mere	22
单调	dāndiào	adj.	monotonous, dull	20
单独	dāndú	adv.	alone, by oneself	23
单位	dānwèi	n.	company, employer	21
耽误	dānwù	v.	to delay, to spoil through delay	26
岛屿	dǎoyǔ	n.	island	34
倒霉	dǎo méi	adj.	having bad luck, unlucky	29
到达	dàodá	v.	to reach, to arrive	28
道德	dàodé	n.	morality, ethics	22

登记	dēngjì	v.	to register, to enter one's name	20
的确	díquè	adv.	indeed, really	30
地理	dìlǐ	n.	geography	24
地震	dìzhèn	v.	earthquake	32
电池	diànchí	n.	battery, cell	29
动画片	dònghuàpiàn	n.	animated cartoon	20
堆	duī	m.	heap, pack, pile	28
对待	duìdài	v.	to treat, to adopt a certain attitude towards	22
对手	duìshǒu	n.	opponent, rival	29
对象	duìxiàng	n.	target, object	29
吨	dūn	m.	metric ton	25
朵	duǒ	m.	*used for flowers and clouds*	36

E

恶劣	èliè	adj.	bad, vile	25

F

发抖	fādǒu	v.	to tremble, to shiver	25
发挥	fāhuī	v.	to bring into play, to give rein to	27
发言	fā yán	v.	to speak, to make a speech	24
翻	fān	v.	to turn (over)	20
繁荣	fánróng	adj.	prosperous, thriving	33
反复	fǎnfù	adv.	repeatedly, over and over again	34
反应	fǎnyìng	v.	to respond, to react	28
反正	fǎnzhèng	adv.	*(used to indicate the same result despite different circumstances)* anyway, no matter what	36
范围	fànwéi	n.	scope, range	28
妨碍	fáng'ài	v.	to hinder, to impede	29
肥皂	féizào	n.	soap	34
废	fèi	adj.	waste, useless	32
奋斗	fèndòu	v.	to fight, to struggle, to strive	36
风景	fēngjǐng	n.	scenery, view	25
风险	fēngxiǎn	n.	risk	25
否认	fǒurèn	v.	to deny, to disavow	27
妇女	fùnǚ	n.	woman	25

G

改革	gǎigé	v.	to reform	33
改善	gǎishàn	v.	to improve, to make sth. better	30

盖	gài	v./n.	to cover; lid, cover	19
概括	gàikuò	adj./v.	brief and to the point; to summarize, to sum up	34
概念	gàiniàn	n.	concept, notion	30
干脆	gāncuì	adv.	simply, just	29
干燥	gānzào	adj.	dry, arid	34
赶快	gǎnkuài	adv.	at once, hurriedly	35
感想	gǎnxiǎng	n.	impressions, thoughts	30
钢铁	gāngtiě	n.	steel	25
搞	gǎo	v.	(*followed by a complement*) to produce a certain effect or result	26
个性	gèxìng	n.	individual character, personality	26
根	gēn	n.	root	35
根本	gēnběn	adv.	(*often used in the negative*) at all, simply	35
工厂	gōngchǎng	n.	factory	32
工业	gōngyè	n.	industry	32
公布	gōngbù	v.	to announce, to make public	32
公开	gōngkāi	v./adj.	to make known to the public; open	21
公寓	gōngyù	n.	apartment, flat	29
贡献	gòngxiàn	n./v.	contribution; to contribute, to devote	32
沟通	gōutōng	v.	to communicate	23
构成	gòuchéng	v.	to compose, to form, to pose	30
鼓舞	gǔwǔ	v.	to encourage, to inspire	32
鼓掌	gǔ zhǎng	v.	to applaud	24
乖	guāi	adj.	obedient, well-behaved	23
观察	guānchá	v.	to observe, to watch	27
观点	guāndiǎn	n.	idea, opinion	22
观念	guānniàn	n.	mentality, concept	22
管子	guǎnzi	n.	tube, pipe	35
冠军	guànjūn	n.	champion, first-prize winner	24
光滑	guānghuá	adj.	smooth, glossy	34
光明	guāngmíng	adj.	bright, promising	28
广场	guǎngchǎng	n.	square, plaza	33
归纳	guīnà	v.	to infer, to sum up	33
规矩	guīju	n.	rule, established practice	23
滚	gǔn	v.	to roll, to tumble	25

过分	guòfèn	adj.	excessive	22
H				
行业	hángyè	n.	trade, profession, industry	28
合理	hélǐ	adj.	reasonable	29
和平	hépíng	adj.	peaceful	30
核心	héxīn	n.	core, kernel	30
后果	hòuguǒ	n.	consequence, aftermath	27
蝴蝶	húdié	n.	butterfly	24
怀念	huáiniàn	v.	to miss, to feel nostalgic	19
缓解	huǎnjiě	v.	to alleviate, to ease up	33
幻想	huànxiǎng	n.	fantasy, illusion	32
慌张	huāngzhāng	adj.	flurried, flustered	25
灰	huī	n./adj.	dust; gray	22
灰心	huīxīn	adj.	discouraged	27
恢复	huīfù	v.	to recover, to regain	35
火柴	huǒchái	n.	match (for producing a flame, etc.)	22
J				
肌肉	jīròu	n.	muscle	35
基本	jīběn	adv.	basically, on the whole	23
及格	jí gé	v.	to pass an exam	24
挤	jǐ	v.	to squeeze out, to push out	29
记录	jìlù	n./v.	record, note; to record	20
纪录	jìlù	n./v.	record, note; to record, to note down	26
纪律	jìlù	n.	discipline, rule	23
寂寞	jìmò	adj.	lonely	26
家务	jiāwù	n.	household duties	24
家乡	jiāxiāng	n.	hometown, native place	19
假如	jiǎrú	conj.	if, in case	20
假设	jiǎshè	v.	to suppose, to assume	28
价值	jiàzhí	n.	value	22
艰巨	jiānjù	adj.	arduous, formidable	24
捡	jiǎn	v.	to pick up, to collect	36
剪刀	jiǎndāo	n.	scissors	36
简历	jiǎnlì	n.	resume, CV	28
简直	jiǎnzhí	adv.	simply, virtually	25

建立	jiànlì	v.	to build, to establish	23
建设	jiànshè	v.	to build, to construct	24
健身	jiànshēn	v.	to keep fit, to work out	33
讲座	jiǎngzuò	n.	lecture	23
酱油	jiàngyóu	n.	soy sauce	19
交换	jiāohuàn	v.	to exchange, to interchange	22
交往	jiāowǎng	v.	to associate, to contact	24
浇	jiāo	v.	to water, to pour (liquid on sth.)	36
狡猾	jiǎohuá	adj.	crafty, cunning	31
教练	jiàoliàn	n.	coach, instructor	27
教训	jiàoxùn	n.	lesson, moral	27
阶段	jiēduàn	n.	stage, phase	23
接触	jiēchù	v.	to contact, to get in touch with	34
接近	jiējìn	v.	to approach, to be close to	30
结合	jiéhé	v.	to combine, to integrate	36
届	jiè	m.	session, year, class	28
尽快	jǐnkuài	adv.	as soon as possible	21
尽量	jǐnliàng	adv.	to the best of one's abilities, to the greatest extent	32
紧急	jǐnjí	adj.	urgent, emergent	36
谨慎	jǐnshèn	adj.	cautious, prudent	25
进步	jìnbù	v.	to make progress, to improve	24
经典	jīngdiǎn	n./adj.	classics; classical	21
经商	jīngshāng	v.	to do business, to engage in trade	23
酒吧	jiǔbā	n.	bar (for drinks)	23
橘子	júzi	n.	tangerine	19
巨大	jùdà	adj.	huge, tremendous	22
具体	jùtǐ	adj.	specific, detailed	28
据说	jùshuō	v.	it is said, reputedly	26
决赛	juésài	v.	final, final match	30
角色	juésè	n.	role, part	34
均匀	jūnyún	adj.	even, well-distributed	19
K				
开放	kāifàng	v.	to open to the public	21
开水	kāishuǐ	n.	boiled water	35

砍	kǎn	v.	to cut, to chop, to fell	32
看不起	kànbuqǐ	v.	to look down upon, to despise	31
可怕	kěpà	adj.	terrible, dreadful	25
克服	kèfú	v.	to overcome, to conquer	21
刻苦	kèkǔ	adj.	hardworking, assiduous	23
客观	kèguān	adj.	objective	22
空闲	kòngxián	adj.	leisurely, free	24
控制	kòngzhì	v.	to control, to take command of	35
口味	kǒuwèi	n.	taste, flavor	19
库	kù	n.	storehouse, bank	21
夸	kuā	v.	to praise	19
夸张	kuāzhāng	adj.	exaggerated	32
宽	kuān	adj.	wide, broad	33
狂	kuáng	adj.	wildly, unrestrainedly	25
昆虫	kūnchóng	n.	insect	34
扩（大）	kuò (dà)	v.	to enlarge, to expand, to broaden	33
L				
朗读	lǎngdú	v.	to read aloud	24
劳驾	láo jià	v.	to trouble sb. (to do sth.)	36
老板	lǎobǎn	n.	boss, employer	28
乐观	lèguān	adj.	optimistic	28
冷淡	lěngdàn	adj.	cold, indifferent	31
梨	lí	n.	pear	19
理由	lǐyóu	n.	reason, ground	22
力量	lìliàng	n.	strength, capability	24
利润	lìrùn	n.	profit	29
利益	lìyì	n.	benefit, interest	29
利用	lìyòng	v.	to utilize, to make use of	24
恋爱	liàn'ài	n.	(romantic) love	31
了不起	liǎobuqǐ	adj.	great, amazing	31
领域	lǐngyù	n.	field, domain, realm	29
陆续	lùxù	adv.	one after another, in succession	28
录取	lùqǔ	v.	to enroll, to admit	23
逻辑	luójí	n.	logic	21
落后	luòhòu	v.	to fall behind, to lag behind	30

			M	
冒险	mào xiǎn	v.	to venture, to have an adventure	26
媒体	méitǐ	n.	media, mass media	29
煤炭	méitàn	n.	coal	32
梦想	mèngxiǎng	n./v.	dream; to dream	21
秘密	mìmì	adj./n.	secret	34
密切	mìqiè	adj.	close, intimate	32
面对	miànduì	v.	to face, to confront	28
面积	miànjī	n.	area, space	33
面临	miànlín	v.	to face, to confront	23
敏感	mǐngǎn	adj.	sensitive, susceptible	32
名牌	míngpái	n.	famous brand	23
明确	míngquè	adj.	clear and definite, explicit	33
命运	mìngyùn	n.	fate, destiny	32
模糊	móhu	adj.	blurred, indistinct, vague	31
陌生	mòshēng	adj.	strange, unfamiliar	23
某	mǒu	pron.	some, certain	23
木头	mùtou	n.	wood, timber	20
目标	mùbiāo	n.	goal, objective	23
			N	
难怪	nánguài	v.	to be understandable, to be reasonable	33
难免	nánmiǎn	adj.	hard to avoid	22
内部	nèibù	n.	inside, interior, inner part	35
嫩	nèn	adj.	soft, tender	19
能干	nénggàn	adj.	capable	23
能源	néngyuán	n.	energy resource	32
嗯	ǹg	int.	*used to indicate positive response*	31
年代	niándài	n.	decade of a century	20
年纪	niánjì	n.	age	20
念	niàn	v.	to study	23
农业	nóngyè	n.	agriculture	32
			O	
偶然	ǒurán	adj./adv.	accidental; by chance	21
			P	
培训	péixùn	v.	to train	24
培养	péiyǎng	v.	to foster, to train	29

赔偿	péicháng	v.	to compensate, to indemnify	33
佩服	pèifú	v.	to admire	21
批	pī	m.	group, batch	26
批准	pīzhǔn	v.	to ratify, to approve	33
疲劳	píláo	adj.	tired, fatigued	26
片	piàn	n.	flat and thin piece	35
平安	píng'ān	adj.	safe, well	19
平等	píngděng	adj.	equal	22
平衡	pínghéng	adj.	balanced	25
凭	píng	v./prep.	to rely on; on the basis of	20
迫切	pòqiè	adj.	urgent, pressing, eager	31
破坏	pòhuài	v.	to destroy, to damage	32

Q

期待	qīdài	v.	to look forward to	33
期间	qījiān	n.	time, period	27
（象）棋	(xiàng) qí	n.	(Chinese) chess, board game	27
起	qǐ	m.	case, instance	25
汽油	qìyóu	n.	gasoline	33
谦虚	qiānxū	adj.	modest	31
前途	qiántú	n.	future, prospect	28
强调	qiángdiào	v.	to emphasize	22
巧妙	qiǎomiào	adj.	ingenious, clever	30
切	qiē	v.	to cut, to chop, to slice	19
亲爱	qīn'ài	adj.	dear, beloved	23
青	qīng	adj.	greenish blue	19
青少年	qīng-shàonián	n.	youngsters, teenagers	20
轻易	qīngyì	adj.	easy, effortless	31
清淡	qīngdàn	adj.	lightly flavored and not greasy	19
庆祝	qìngzhù	v.	to celebrate	36
取消	qǔxiāo	v.	to cancel, to call off	33
圈	quān	n.	circle, ring	19
全面	quánmiàn	adj.	all-round, comprehensive	22
劝	quàn	v.	to try to persuade	31
缺乏	quēfá	v.	to lack, to be short of	28

			R		
燃烧	ránshāo	v.	to burn, to combust	32
热爱	rè'ài	v.	to love ardently	36
热烈	rèliè	adj.	enthusiastic, ardent	24
热心	rèxīn	adj.	enthusiastic, earnest	29
人物	rénwù	n.	figure, personage	26
忍不住	rěnbuzhù		cannot help (doing sth.)	23
日程	rìchéng	n.	schedule	21
日用品	rìyòngpǐn	n.	articles of everyday use, daily necessities	29
			S		
色彩	sècǎi	n.	color	19
沙漠	shāmò	n.	desert	32
沙滩	shātān	n.	sand beach	23
傻	shǎ	adj.	stupid, foolish	29
商品	shāngpǐn	n.	goods, commodity	30
商务	shāngwù	n.	business affairs	33
商业	shāngyè	n.	business, commerce	29
舍不得	shěbude	v.	to be unwilling to part with or give up, to grudge	27
设备	shèbèi	n.	(referring to a container in this text) equipment, device	30
设施	shèshī	n.	installation, facilities	32
身材	shēncái	n.	figure, stature	20
生产	shēngchǎn	v.	to produce, to manufacture	32
生长	shēngzhǎng	v.	to grow	29
失去	shīqù	v.	to lose	27
湿润	shīrùn	adj.	moist, humid	35
实话	shíhuà	n.	truth, true words	28
实践	shíjiàn	v.	to put into practice	31
实用	shíyòng	adj.	practical	30
使劲（儿）	shǐjìn(r)	v.	to exert oneself, to make efforts	25
事先	shìxiān	n.	beforehand, in advance	27
收获	shōuhuò	n.	gain	24
手续	shǒuxù	n.	procedure	20
受（伤）	shòu (shāng)	v.	to be hurt, to be injured	33
梳子	shūzi	n.	comb	34

输入	shūrù	v.	to input	21
熟练	shúliàn	adj.	skilled, practiced	36
属于	shǔyú	v.	to belong to	22
数据	shùjù	n.	data	32
摔倒	shuāidǎo		to fall down, to tumble	25
丝毫	sīháo	adj.	slightest, at all	25
私（人）	sī(rén)	n.	private	32
思考	sīkǎo	v.	to think deeply, to ponder	21
思想	sīxiǎng	n.	thought, thinking	26
随身	suíshēn	adj.	(to carry/take…) with one, personally	34
损失	sǔnshī	v.	to lose	27
缩短	suōduǎn	v.	to shorten	31
T				
烫	tàng	v./adj.	to scald, to burn; very hot, scalding	19
逃避	táobì	v.	to escape, to evade	30
特色	tèsè	n.	characteristic, distinctive feature	19
特殊	tèshū	adj.	special, particular	35
特征	tèzhēng	n.	feature, characteristic	34
疼爱	téng'ài	v.	to love dearly	22
提倡	tíchàng	v.	to advocate, to encourage	26
提问	tíwèn	v.	to ask a question	28
题目	tímù	n.	title	24
体会	tǐhuì	n.	feeling, understanding	30
体贴	tǐtiē	adj.	thoughtful, considerate	24
体现	tǐxiàn	v.	to manifest, to reflect	33
体验	tǐyàn	v.	to feel and experience	28
天空	tiānkōng	n.	sky	34
痛苦	tòngkǔ	adj.	painful, suffering	21
痛快	tòngkuài	adj.	to one's heart's content	34
投资	tóu zī	v.	to invest, to fund	26
透明	tòumíng	adj.	transparent	19
退休	tuì xiū	v.	to retire	21
W				
外交	wàijiāo	n.	diplomacy	23
完美	wánměi	adj.	perfect, flawless	22

完善	wánshàn	v./adj.	to make perfect, to improve; perfect	21
万一	wànyī	conj.	in case, if by any chance	29
王子	wángzǐ	n.	prince	22
网络	wǎngluò	n.	network, web	20
威胁	wēixié	v.	to threaten	25
违反	wéifǎn	v.	to violate, to go against	23
唯一	wéiyī	adj.	only, sole	34
未必	wèibì	adv.	may not, not necessarily	27
温柔	wēnróu	adj.	gentle	24
文具	wénjù	n.	stationery	29
文明	wénmíng	n.	civilization	26
闻	wén	v.	to smell	19
吻	wěn	v.	to kiss	23
无数	wúshù	adj.	countless, innumerable	20
无所谓	wúsuǒwèi	v.	to not care, to not mind, to not take seriously	31
物理	wùlǐ	n.	physics	21

X

吸取	xīqǔ	v.	to absorb, to draw	27
吸收	xīshōu	v.	to absorb, to take in	35
系	xì	n.	department (of a university)	23
系统	xìtǒng	n.	system	35
下载	xiàzài	v.	to download	21
鲜艳	xiānyàn	adj.	bright-colored	36
显然	xiǎnrán	adj.	obvious, evident	28
相似	xiāngsì	adj.	similar	25
想念	xiǎngniàn	v.	to recall with longing, to miss	19
消极	xiāojí	adj.	passive, inactive	32
消失	xiāoshī	v.	to disappear, to vanish	32
效率	xiàolǜ	n.	efficiency	26
歇	xiē	v.	to rest, to take a rest	35
心脏	xīnzàng	n.	heart	21
行动	xíngdòng	n.	action, activity	24
行人	xíngrén	n.	pedestrsian	33
幸亏	xìngkuī	adv.	fortunately	23
幸运	xìngyùn	adj.	lucky, fortunate	32

胸	xiōng	n.	chest, bosom	25
休闲	xiūxián	v.	to have leisure, to relax	28
虚心	xūxīn	adj.	open-minded, modest	33

Y

押金	yājīn	n.	cash pledge, deposit	20
延长	yáncháng	v.	to prolong, to lengthen	30
严肃	yánsù	adj.	serious, solemn	25
养	yǎng	v.	to raise, to keep, to grow	36
腰	yāo	n.	waist	36
一旦	yídàn	adv.	once, when	22
一律	yílǜ	adv.	all, without exception	26
一致	yízhì	adj.	identical, unanimous	23
遗憾	yíhàn	adj./n.	regretful; deep regret	21
疑问	yíwèn	n.	question, doubt	20
义务	yìwù	n.	duty, obligation	24
因素	yīnsù	n.	factor	27
印刷	yìnshuā	v.	to print (books, newspapers, etc.)	20
迎接	yíngjiē	v.	to receive, to greet, to welcome	34
营业	yíngyè	v.	to do business, to operate	29
应付	yìngfu	v.	to handle, to cope with	36
硬	yìng	adv.	rigidly, mechanically	21
拥挤	yōngjǐ	adj.	crowded, congested	33
勇气	yǒngqì	n.	courage	24
用功	yònggōng	adj.	hardworking, diligent	24
优势	yōushì	n.	superiority, advantage	28
犹豫	yóuyù	adj.	hesitant	31
油炸	yóuzhá	v.	to deep-fry	19
游览	yóulǎn	v.	to visit, to tour	25
有利	yǒulì	adj.	beneficial, advantageous	30
娱乐	yúlè	n./v.	entertainment; to amuse, to entertain	20
与其	yǔqí	conj.	(would rather…) than, rather than	33
预防	yùfáng	v.	to guard against, to prevent	19
元旦	yuándàn	n.	New Year's Day	21
员工	yuángōng	n.	staff, employee	30
原料	yuánliào	n.	raw material	19

原则	yuánzé	n.	principle, tenet	27
圆	yuán	adj.	round, circular	31
运气	yùnqi	n.	luck, fortune	27
运输	yùnshū	v.	to transport, to convey	30
Z				
在乎	zàihu	v.	to care, to mind	36
在于	zàiyú	v.	to lie in, to consist in	27
赞成	zànchéng	v.	to agree with, to approve of	31
责备	zébèi	v.	to blame, to reproach	27
窄	zhǎi	adj.	narrow	25
展开	zhǎnkāi	v.	to launch, to set off, to carry out	33
涨	zhǎng	v.	to rise, to go up	20
掌握	zhǎngwò	v.	to take charge of, to control	32
照常	zhàocháng	adv.	as usual	33
珍惜	zhēnxī	v.	to cherish, to treasure	27
真实	zhēnshí	adj.	real, actual	32
征求	zhēngqiú	v.	to seek, to ask for	23
睁	zhēng	v.	to open one's eyes	27
整齐	zhěngqí	adj.	tidy, orderly	20
政府	zhèngfǔ	n.	government	33
支	zhī	v.	to prop up, to support	20
直	zhí	adv.	continuously, straight	36
指导	zhǐdǎo	v.	to guide, to instruct	24
指挥	zhǐhuī	v.	to command, to direct	35
至于	zhìyú	prep.	as for, as to	26
制作	zhìzuò	v.	to make, to produce	28
秩序	zhìxù	n.	order, orderly state	35
中旬	zhōngxún	n.	middle ten days of a month	33
种类	zhǒnglèi	n.	kind, category	34
重量	zhòngliàng	n.	weight	25
逐步	zhúbù	adv.	gradually, step by step	32
主观	zhǔguān	adj.	subjective	33
主题	zhǔtí	n.	theme, subject	24
主席	zhǔxí	n.	chairperson	23
主张	zhǔzhāng	v./n.	to hold, to advocate; view, stand	22

煮	zhǔ	v.	to boil, to stew	19
抓	zhuā	v.	to grab, to seize	34
抓紧	zhuā jǐn	v.	to firmly grasp	21
转变	zhuǎnbiàn	v.	to change, to transform	22
装饰	zhuāngshì	n.	decoration	36
状况	zhuàngkuàng	n.	condition, situation, state	35
追求	zhuīqiú	v.	to pursue, to go after	21
咨询	zīxún	v.	to consult, to seek advice	33
资金	zījīn	n.	capital, fund	29
资源	zīyuán	n.	resource	32
紫	zǐ	adj.	purple	19
自从	zìcóng	prep.	ever since	22
自动	zìdòng	adv.	voluntarily, spontaneously	35
自豪	zìháo	adj.	proud	36
自觉	zìjué	adj.	conscious, on one's own initiative	32
自私	zìsī	adj.	selfish	22
自愿	zìyuàn	v.	to volunteer (to do sth.)	33
总算	zǒngsuàn	adv.	at last, finally	26
总之	zǒngzhī	conj.	in short, in brief	34
组织	zǔzhī	v.	to organize	23
最初	zuìchū	n.	first, earliest	21
尊敬	zūnjìng	v.	to respect, to esteem	32
遵守	zūnshǒu	v.	to abide by, to observe	23
作文	zuòwén	n.	essay, composition	22

专有名词 Proper Nouns

词语 Word/Phrase	拼音 Pinyin	词义 Meaning	课号 Lesson
B			
北京师范大学	Běijīng Shīfàn Dàxué	Beijing Normal University	21
比尔·盖茨	Bǐ'ěr Gàicí	Bill Gates	26
F			
《非你莫属》	Fēinǐmòshǔ	*Only You*, a job-hunting reality show	28
G			
国贸	Guómào	Guomao, the central business district of Beijing	28
鼓楼大街	Gǔlóu Dàjiē	Gulou Street, literally "Old Drum Tower Street"	28
H			
郝琳硕	Hǎo Línshuò	Hao Linshuo, name of a person	24
护国寺	Hùguósì	Huguosi Street, a commercial street in Beijing	20
灰姑娘	Huīgūniang	Cinderella	22
J			
建伟	Jiànwěi	Jianwei, name of a person	29
L			
老舍	Lǎo Shě	Lao She (1899-1966), pen name of the Chinese writer Shu Qingchun	36
理查德·希尔斯	Lǐchádé Xī'ěrsī	Richard Sears	21
刘辰	Liú Chén	Liu Chen, name of a person	28
洛杉矶	Luòshānjī	Los Angeles	23
M			
《卖火柴的小女孩儿》	Mài Huǒchái de Xiǎo Nǚháir	*The Little Match Girl*, a short story by the Danish author H. C. Andersen	22
N			
牛津大学	Niújīn Dàxué	University of Oxford	23
O			
欧盟	Ōu Méng	European Union	23
欧洲环境保护署	Ōuzhōu Huánjìng Bǎohù Shǔ	European Environment Agency	33
P			
潘家园	Pānjiāyuán	Panjiayuan, a subdistrict in Beijing famous for its antique market	20
佩·詹森	Pèi Zhānsēn	Pay Jensen, name of a person	33
S			
《说文解字》	Shuōwén Jiězì	*Shuowen Jiezi,* literally "Explaining and Analyzing Characters", an early 2nd century dictionary of Chinese characters	21

	T		
天安门东	Tiān'ānmén Dōng	Tian'anmen East Station	28
天津卫视	Tiānjīn Wèishì	Tianjin TV, a television channel	28
	W		
文文	Wénwen	Wenwen, name of a person	23
	X		
夏威夷	Xiàwēiyí	Hawaii	23
	Y		
印加	Yìnjiā	Inca Empire, the largest empire in pre-Columbian America	26
云南	Yúnnán	Yunnan Province	24
	Z		
赵福根	Zhào Fúgēn	Zhao Fugen, name of a person	24

超纲词 Words Not Included in the Syllabus

词语 Word/Phrase	拼音 *Pinyin*	词性 Part of Speech	词义 Meaning	课号 Lesson	级别 Level
B					
八成（儿）	bāchéng(r)	adv.	most probably, most likely; eighty percent	31	——
般	bān	part.	sort, kind	19	——
斑	bān	n.	spot, speckle, stripe	34	六级
饱和	bǎohé	v.	to be saturated, to be filled to capacity	29	六级
保养	bǎoyǎng	v.	to take good care of, to maintain	34	六级
暴雨	bàoyǔ	n.	rainstorm	36	
被动	bèidòng	adj.	passive	26	六级
闭关	bìguān	v.	to stay secluded (a Taoist practice)	26	
不妨	bùfáng	adv.	might as well	33	六级
不假思索	bùjiǎ-sīsuǒ		without thinking or hesitation	27	——
C					
才艺	cáiyì	n.	talent and skill	28	
舱	cāng	n.	cabin	25	六级
查询	cháxún	v.	to search, to retrieve	21	
车祸	chēhuò	n.	traffic accident	32	
沉	chén	v.	to sink	25	
诚信	chéngxìn	adj.	honest, in good faith	29	——
乘	chéng	v.	to ride, to travel by	28	六级
充当	chōngdāng	v.	to serve as, to play the part of	34	六级
抽	chōu	v.	to draw, to obtain by drawing	35	
创办	chuàngbàn	v.	to establish, to set up	21	
丛林	cónglín	n.	jungle, forest	26	
存活	cúnhuó	v.	to survive, to exist	30	
D					
搭	dā	v.	to hang over, to lay over	20	六级
倒闭	dǎobì	v.	to close down, to go bankrupt	29	六级
得罪	dézuì	v.	to offend, to displease	26	六级
E					
额	é	n.	specified number, sum, volume or amount	29	——

			F		
繁体（字）	fántǐ(zì)	n.	complex form, traditional Chinese characters	21	六级
反省	fǎnxǐng	v.	to reflect on oneself, to self-examine	26	——
返航	fǎnháng	v.	to be on the homeward voyage	25	——
犯	fàn	v.	to commit (an error, crime, etc.)	27	——
方言	fāngyán	n.	dialect	21	六级
分享	fēnxiǎng	v.	to share (good things such as joy and rights)	36	——
风浪	fēnglàng	n.	storm, stormy waves	25	——
服气	fúqì	v.	to be convinced, to be won over	27	六级
负重	fùzhòng	v.	to bear a load or weight	25	——
			G		
擀	gǎn	v.	to roll (dough etc. with a rolling pin)	19	——
根基	gēnjī	n.	basis, foundation	25	——
根治	gēnzhì	v.	to cure once and for all	33	——
顾问	gùwèn	n.	consultant, adviser	28	六级
雇	gù	v.	to employ, to hire	26	——
过于	guòyú	adv.	too, excessively	27	六级
			H		
汗腺	hànxiàn	n.	sweat gland	35	——
毫无	háowú		not in the least	20	六级
和尚	héshang	n.	(Buddhist) monk	25	——
横	héng	adj.	across	23	六级
洪水	hóngshuǐ	n.	flood	32	六级
糊	hú	v.	to be burnt	19	——
回报	huíbào	v.	to repay, to requite	36	六级
活力	huólì	n.	vigor, vitality	30	六级
			J		
疾病	jíbìng	n.	disease, illness	21	六级
寄生	jìshēng	v.	to live on another animal or plant, to be parasitic	34	——
佳	jiā	adj.	good, fine	30	——
家常	jiācháng	n.	daily life of a family	33	六级
家访	jiāfǎng	v.	to visit the parents of school-children	24	——

简体（字）	jiǎntǐ(zì)	n.	simplified form, simplified Chinese characters	21	六级
健步如飞	jiànbù-rúfēi		to walk as if on wings	26	——
将军	jiāngjūn	n.	(military) general	27	六级
	jiāng jūn	v.	(in chess) to put one's king/general in check	27	
焦	jiāo	adj.	burnt, scorched	19	——
搅拌	jiǎobàn	v.	to stir, to mix	19	六级
解放	jiěfàng	v.	to liberate, to free	33	六级
就业	jiù yè	v.	to find employment	28	六级
局	jú	m.	game, set	27	——
菊花	júhuā	n.	chrysanthemum	36	
K					
可口	kěkǒu	adj.	tasty, delicious	19	六级
坑	kēng	n.	pit, hollow	34	六级
垮	kuǎ	v.	to collapse, to break down	29	——
L					
来	lái	part.	*used after round numbers to indicate approximation*	26	——
老鹰	lǎoyīng	n.	eagle, hawk	34	
乐趣	lèqù	n.	joy, pleasure	36	六级
连环画	liánhuánhuà	n.	picture-story book	20	——
淋	lín	v.	to spatter, to sprinkle	19	六级
灵魂	línghún	n.	soul, spirit	26	六级
留守	liúshǒu	v.	to stay behind to take care of things	24	
垄断	lǒngduàn	v.	to monopolize	29	六级
屡	lǚ	adv.	repeatedly, time and again	27	
萝卜	luóbo	n.	turnip, radish	19	
M					
忙碌	mánglù	adj.	busy, fully occupied	26	六级
毛孔	máokǒng	n.	pore	35	
冒	mào	v.	to emit, to give off, to send out	35	——
门槛	ménkǎn	n.	threshold	31	
猛烈	měngliè	adj.	strong, violent, fierce	25	六级
N					
鲇鱼	niányú	n.	catfish	30	——

奴隶	núlì	n.	slave	26	六级
P					
排练	páiliàn	v.	to rehearse	24	六级
棚子	péngzi	n.	shed, shack	20	——
Q					
潜力	qiánlì	n.	potential	30	六级
抢救	qiǎngjiù	v.	to rescue, to save	36	六级
青壮年	qīng-zhuàngnián		young and middle-aged adults	24	——
倾向	qīngxiàng	v./n.	to be inclined to; tendency, inclination	22	六级
情侣	qínglǚ	n.	couple, lovers	28	——
情缘	qíngyuán	n.	predestined love, sentimental bond	21	——
请愿书	qǐngyuànshū	n.	petition	31	——
区分	qūfēn	v.	to distinguish, to differentiate	34	六级
R					
让步	ràng bù	v.	to concede, to give in	23	六级
人性	rénxìng	n.	human nature	22	六级
S					
沙丁鱼	shādīngyú	n.	sardine	30	——
沙子	shāzi	n.	sand	34	——
赏心悦目	shǎngxīn-yuèmù		pleasing to both the eye and the mind	19	
梢	shāo	n.	tip, thin end of a twig, etc.	35	六级
少许	shǎoxǔ	adj.	a little, some	19	
社区	shèqū	n.	community	31	六级
身段	shēnduàn	n.	posture, manner, attitude	31	
深渊	shēnyuān	n.	abyss, bottomless pit	25	——
生存	shēngcún	v.	to live, to subsist	32	六级
生态	shēngtài	n.	ecology	29	六级
施肥	shī féi	v.	to apply fertilizer	36	——
识别	shíbié	v.	to recognize, to identify	21	六级
适当	shìdàng	adj.	proper, adequate	29	
释放	shìfàng	v.	to release, to emit	35	六级
收藏	shōucáng	v.	to collect, to store up	20	六级
收集	shōují	v.	to collect, to gather	21	
丝	sī	n.	shred, anything threadlike	19	——

		T			
摊	tān	n.	stall, stand	20	六级
昙花	tánhuā	n.	broad-leaved epiphyllum	36	——
痰	tán	n.	phlegm, sputum	19	——
题材	tícái	n.	theme, subject matter	20	六级
天敌	tiāndí	n.	natural enemy	30	——
童话	tónghuà	n.	fairy tale	22	六级
图	tú	v.	to covet, to be after	33	——
		W			
挖掘	wājué	v.	to dig, to unearth	30	六级
万丈	wànzhàng	num.-m.	lofty, bottomless	25	——
王宫	wánggōng	n.	royal palace	22	
旺盛	wàngshèng	adj.	exuberant, vibrant	30	
危机	wēijī	n.	crisis	30	六级
微博	wēibó	n.	microblog	21	
维持	wéichí	v.	to keep, to maintain	29	六级
尾气	wěiqì	n.	exhaust gas, vehicle emission	32	——
文火	wénhuǒ	n.	slow fire, gentle heat	19	——
无意	wúyì	adv.	accidentally, inadvertently	30	——
舞蹈	wǔdǎo	n.	dance	24	六级
		X			
习俗	xísú	n.	custom, convention	26	六级
洗礼	xǐlǐ	n.	baptism, washing ceremony	34	——
现场	xiànchǎng	n.	site, spot	28	六级
效应	xiàoyìng	n.	effect	25	——
心态	xīntài	n.	psychology, mental attitude	27	六级
虚伪	xūwěi	adj.	hypocritical	26	六级
		Y			
炎热	yánrè	adj.	scorching, burning hot	35	六级
演变	yǎnbiàn	v.	to change, to evolve	21	六级
一连	yìlián	adv.	in a row, in succession	26	——
隐约	yǐnyuē	adj.	indistinct, vague	23	六级
荫凉	yìnliáng	adj.	shady and cool	35	——
拥有	yōngyǒu	v.	to own, to possess	22	六级
		Z			
砸	zá	v.	to crush, to smash	36	六级